JAZZ COOL
ET MORTS SUBITES

Michael Draper

JAZZ COOL ET MORTS SUBITES

Roman policier

MARCEL BROQUET
La nouvelle édition

Catalogage avant publication de Bibliothèque et Archives nationales du Québec et Bibliothèque et Archives Canada

Draper, Michael, 1942-

Jazz cool et morts subites

(Collection Coulée noire)

ISBN 978-2-923715-49-0

I. Titre.

PS8607.R355J39 2010 C843'.6 C2010-942179-5

Pour l'aide à la réalisation de son programme éditorial, l'éditeur remercie la Société de Développement des Entreprises Culturelles (SODEC), ainsi que le Conseil des Arts du Canada.

Conseil des Arts
du Canada

Marcel Broquet Éditeur
55 A, rue de l'Église, Saint-Sauveur (Québec) Canada J0R 1R0
Téléphone : 450 744-1236
marcel@marcelbroquet.com • www.marcelbroquet.com

Révision : Frederick Letia
Illustration de la couverture : Rosemary Arroyave et Roger Belle-Isle
Mise en page : Roger Belle-Isle

Distribution :
PROLOGUE
1650, Boulevard Lionel-Bertrand
Boisbriand (Québec) Canada J7H 1N7
Téléphone : 450 434-0306 • Sans frais : 1 800 363-2864
Service à la clientèle : sac@prologue.ca

Distribution pour l'Europe francophone :
DNM Distribution du Nouveau Monde
30, rue Gay-Lussac, 75005, Paris
Tél. ; 01.42.54.50.24 • Fax ; 01.43.54.39.15
Librairie du Québec
30, rue Gay-Lussac, 75005, Paris
Tél. ; 01.43.54.49.02
www.librairieduquebec.fr

Diffusion – Promotion :
Phoenix alliance
r.pipar@phoenix3alliance.com

Dépôt légal : 4e trimestre 2010
Bibliothèque et Archives nationales du Québec
Bibliothèque et Archives nationales Canada
Bibliothèque nationale de France

À ma fille Marie-Eve,
qui m'a incité à livrer ce récit.
À Carmen,
pour toutes les raisons du monde.

Première partie

1

Il n'y a pas de profession plus simple que celle de tueur à gages, à condition de savoir où on met les pieds. Étant d'un naturel plutôt relax, j'ai toujours cherché à ne pas me compliquer inutilement la vie, et à exécuter mes contrats sans bavures et dans les délais prévus. J'ai bien vécu jusqu'ici, et j'ai l'intention de profiter pendant longtemps encore des délices que la vie peut offrir, à commencer par de bonnes parties de jambes en l'air et la cuisine italienne. Je mentionne la baise en premier, parce que c'est toujours une entrée en matière et, qu'en plus, ça m'ouvre l'appétit.

On écrit des tas de romans et on fait plein de films pour expliquer comment travaillent les James Bond de ce monde, qui se portent au secours de l'humanité en flinguant des milliardaires diaboliques ou des politiciens malfaisants, et qui bien souvent finissent par s'entretuer. On leur attribue des exploits pas possibles, et le public en redemande parce qu'il a peur, autrement, de s'ennuyer. Mais au fond, les agents secrets ne sont pas autre chose que de malheureux fonctionnaires qui, comme tous leurs semblables, rêvent de partir en vacances trente-cinq fois puis de toucher une belle pension. Ça ne fait pas très sérieux.

Certains contractuels froids et implacables gagnent des fortunes en n'exécutant que trois ou quatre cibles par année, mais ils se sentent constamment traqués, et sont trop paranos pour prendre le temps de rigoler. Je trouve ça tristounet. Moi, mes contrats ne m'ont jamais rapporté des millions, bien que je sois un professionnel de haut vol. Mais j'ai toujours refusé qu'un *wiseguy* vienne me dire comment travailler. Et puis, je me suis reposé quand et où j'en avais envie, et j'ai tout de même amassé assez de pognon pour être en mesure de m'amuser pendant des années, avec ou sans ma contrebasse et mes recueils de mots croisés.

On m'a déjà demandé d'éliminer un politicien qui se prenait pour Zorro, mais j'ai refusé, parce que je n'avais pas envie qu'une armée de flics équipés de gadgets électroniques et flanqués de chiens enragés me colle aux fesses à perpétuité. J'ai toujours pensé qu'en me limitant à des citoyens dont personne ne parle dans les médias, les enquêteurs – à condition qu'il y en ait – mettraient parfois des mois à découvrir les restes de mes victimes, sans trouver d'indice valable. Lorsque je travaillais avec la famille de Big Joey Scalpino, le patron de la mafia sicilienne à Montréal, ces restes étaient généralement ceux de petits truands qui n'avaient pas appris à marcher droit, et que la police n'avait pas plus envie de venger qu'un politicien n'a envie de respecter ses promesses électorales. La belle affaire, c'était qu'en toutes circonstances, les gars de Big Joey se la bouclaient, n'ignorant pas que mon rôle consistait à faire de simples gestes de dissuasion à l'endroit de ceux qui auraient été tentés de commettre la même erreur que le fautif. Sans compter que mes victimes étaient invariablement d'authentiques fumiers, dont je me chargeais gentiment de débarrasser la planète.

Depuis que j'exerce ma profession, il m'est arrivé une fois d'accepter un boulot d'un gars incapable de se résoudre à l'idée que le petit copain de sa femme puisse fêter le prochain Noël. J'ai décidé par la suite que les histoires d'infidélité devaient m'intéresser d'autant moins que je n'ai rien contre la polygamie et que je m'attendris chaque fois qu'il m'arrive d'avoir une pensée pour les millions de femmes insatisfaites et consentantes qui n'ont pas eu l'avantage de me connaître. Et puis, vous vous doutez bien que les conjoints jaloux représentent généralement un très mauvais risque pour un homme de ma profession, parce qu'étant naturellement émotifs, ils peuvent à tout moment éprouver des remords et aller se confesser aux flics en incriminant leurs suppôts.

Quant à refroidir une femme, jamais il n'en avait été question, jusqu'à ce qu'un lieutenant de Big Joey me refile un contrat sur la tête de Rosalie Columbo. Je me demande encore ce qui a bien pu m'inciter à accepter le boulot. Était-ce la curiosité de savoir quelle sensation je ressentirais cette fois-là en appuyant sur la détente, ou encore à quelles précautions j'aurais recours pour éviter toute souffrance à ma cible, étant donné que je cherche plutôt à faire du bien aux femmes ?

Toujours est-il que c'est en voyant Rosalie pour la première fois que j'ai compris, un peu tard, que je venais peut-être de signer mon propre arrêt de mort.

2

Tout a débuté il y a un peu plus d'un an, en novembre. C'était un samedi. Il pleuvait à verse, et je venais de passer la matinée à chercher le sommeil qui m'aurait permis d'effacer mes tourments, et surtout de quitter l'état de mélancolie dans lequel j'avais baigné tout au long de la nuit précédente, au Blues Bar, à cause de Ray, mais surtout de Pénélope.

Pénélope est une jeune femme mariée, avec qui je coulais de longs après-midi au lit, chez moi chaque vendredi, depuis notre premier rendez-vous dans un restaurant japonais de Brossard où ni elle ni moi n'étions connus. La première rencontre avait eu lieu à son initiative, et elle avait été d'une franchise désarmante en affirmant avoir envie d'expérimenter les choses excitantes qu'elle avait apprises à mon sujet d'une amie commune. Elle avait déclaré que mon surnom de « Pretty Boy » m'allait comme un gant, en ajoutant qu'elle avait toujours eu un penchant pour les hommes grands et athlétiques. Je trouvais Pénélope plutôt mutine et, sans être une fille canon, elle était bien proportionnée. J'eus rapidement l'occasion de découvrir que la nature l'avait gratifiée d'un épiderme à faire pâlir d'envie n'importe quel nourrisson, et qu'elle sentait toujours l'eau de rose. La seule ombre au tableau, c'était que Pénélope était l'épouse légitime de Big Joey Scalpino.

Elle était consciente, comme moi, des risques démesurés que nous prenions à nous envoyer en l'air, mais notre témérité ajoutait du piquant à nos ébats, et il n'avait jamais été question de mettre fin à notre relation. Jusqu'à ce que Pénélope, la veille, m'annonce qu'en dépit de tout le plaisir que je lui donnais, elle trouvait notre aventure trop insensée – c'est le mot qu'elle a utilisé – et qu'il fallait qu'on cesse de se voir comme ça, en cachette. Je me souviens de notre conversation comme si c'était hier :

– Réal, mon grand, il faut qu'on arrête la musique. J'ai peur.

– De quoi t'as peur ? Tu m'as déjà affirmé que jamais la femme d'un parrain n'a été trucidée pour cause d'infidélité, et que les liens du mariage sont sacrés pour un homme d'honneur, même quand l'amour n'est pas là.

– T'as raison, je risque tout au plus quelques ecchymoses si jamais Joey découvre le pot aux roses. Mais dans ton cas, avoir joué les apollons au point de baiser ta marraine te vaudra un grand trou noir au milieu du front.

– Y a que moi pour viser aussi juste, ma belle. Mais t'en fais pas, je suis toujours sur mes gardes et je sais me défendre.

– Penser que tes belles couilles pourraient se retrouver au fond de ta gorge, ça te dérange pas ?

– Bah ! Big Joey n'est pas mon parrain, après tout. Je suis un contractuel, pas un soldat de la famille. Mes bijoux de famille vont rester où ils sont. T'en fais pas pour ça, Penny. De toute façon, il faudrait qu'on me fasse la peau avant, et ça ne serait pas du gâteau.

– Il faut qu'on arrête. On joue avec le feu !

– Et puis ? Tu penses pas que le feu, ça attise les passions ?

– Quand même...

Ce jour-là, Pénélope rentra chez elle un peu plus tôt que d'habitude, sans même avoir la larme à l'œil, et il fallut bien que je me fasse à l'idée de ne plus jamais la revoir en petite tenue. J'éclusai un premier verre de chianti et me douchai, puis j'essayai de me changer les idées en attaquant une nouvelle grille de mots croisés, tout en enfournant une double ration de *bruschetta* arrosée d'un second verre de chianti. Mais il n'y avait rien à faire : toutes mes tentatives de croisement entre l'agent secret de Louis XV et l'épouse d'Aménophis IV Akhenaton échouaient lamentablement. Le cœur gros, je finis par mettre le cap sur le Blues Bar. C'est là que je livrais mes petits numéros de contrebasse, en week-end, en compagnie de Ray au piano et de Bernard à la batterie.

Une heure plus tard, je m'étais envoyé une autre demi-bouteille de chianti, et la clientèle commençait à affluer lorsqu'on m'informa que Ray venait de se coincer une main dans la portière de sa voiture et serait sur la touche pendant au moins trois semaines, peut-être quatre. Aucun autre pianiste n'étant disponible, il a donc fallu que Bernard et moi on dialogue comme des grands, jusqu'à trois heures du matin. Vous n'avez pas idée à quel point il en faut, du doigté, de la sensibilité et du courage, pour extraire d'une contrebasse des mélodies qui lui étaient jusqu'alors inconnues, surtout quand on s'appelle Réal Beauregard et qu'on n'est qu'un pâle disciple de Charlie Haden.

Au début, fort de tout ce que j'avais appris au fil des ans en écoutant religieusement les enregistrements d'étonnants solistes tels Red Mitchell et Charlie Mingus, je réussis à phraser avec une intensité et une mobilité presque égales à celles d'un saxophoniste de talent. Je parvins même à faire découvrir à l'auditoire quelques ressources sonores insoupçonnées et parfaitement cool, d'autant plus que Bernard savait se faire discret. Vers minuit, mon répertoire pour contrebasse seule commença à perdre de sa consistance, et je n'eus d'autre choix que d'improviser sur des thèmes plus ou moins connus, en ralentissant la cadence pour reposer ma main gauche et en alternant entre le pizzicato et l'archet pour ménager la droite.

Lorsque je rentrai chez moi à l'aube, sous la flotte, j'avais les mains d'un arthritique et j'étais affligé d'un mal de tête à faire brailler un taureau, sans parler d'un début de cirrhose. La vue du grand lit défait n'arrangea rien, mais l'heure n'était pas aux fantasmes et je m'y laissai choir comme une loque, sans même me dévêtir. Les effluves semés par Pénélope eurent tôt fait de m'envelopper, et je sombrai dans un sommeil profond.

Je m'éveillai fréquemment au cours de la matinée, empêtré dans mes vêtements. Il était onze heures lorsque la sonnerie de mon BlackBerry se fit entendre. Au début, je ne bougeai pas, mais je finis par répondre, en espérant que Pénélope s'était ravisée. Lorsque je compris que c'était plutôt Vito Bruno, un *caporegime*[1] de Big Joey, je me souvins aussitôt des mises en garde de ma dulcinée, et je figeai.

– *How you doing, Pretty Boy ?*

– Ça pourrait aller mieux, Vito, mais je vais pas te raconter ma vie.

– Rencontre-moi à deux heures à la Casa. *And get ready to travel tomorrow !*

Je compris, avec soulagement, que je n'avais pas à me faire de souci. Ce n'était pas un pruneau qui m'attendait, mais une épaisse liasse de bruns usagés.

– O.K. Mais j'ai travaillé toute la nuit, et j'ai besoin aussi de la journée de demain pour récupérer. Surtout que demain, c'est dimanche.

– *Loosen up, man.* On se voit à deux heures.

Vito raccrocha et j'appelai aussitôt Frank, le patron du Blues Bar, pour annoncer que je ne serais pas disponible ce soir-là, et lui recommander de trouver un pianiste capable de s'entendre avec Bernard. Puis je fis ma toilette, enfilai un blue-jean et un pull noir, et allai me sustenter à la Trattoria du coin. À treize heures quarante, j'étais à la Casa. Vito m'avait donné rendez-vous à quatorze heures, mais j'aime bien arriver en avance. Ça évite les surprises.

1 Chef de section d'une famille de la Cosa Nostra, responsable d'une dizaine de soldats.

De tous les lieutenants de Big Joey, Vito était celui que je respectais le plus. Comme les autres, il était responsable de recevoir les ordres du chef et de s'assurer que tous ses hommes s'y conformaient, puis de mettre en œuvre, de surveiller et de protéger les activités sur le territoire de son équipe. Mais, en plus d'être généralement d'une efficacité exemplaire et de ne pas lésiner lorsqu'il fallait décaisser pour un bon motif, il savait écouter ses soldats et recevoir leurs confidences. Il les protégeait et les défendait, au besoin, lorsqu'ils avaient des ennuis avec la justice ou risquaient d'en avoir avec le chef, le sous-chef ou le *consigliere*, ou même avec des soldats relevant d'un autre *caporegime*. Enfin, chose plutôt rare dans le milieu, il était parfois capable d'un minimum d'humour, à défaut d'être cordial. Je pense qu'il m'appréciait lui aussi, puisqu'il avait plusieurs fois choisi de me confier un boulot plutôt que de se tourner vers un de ses hommes, lorsqu'un mandat d'exécution lui venait de Big Joey.

La rencontre avec Vito dura une trentaine de minutes. Il était accompagné pour l'occasion d'un de ses soldats, Gino Russo. Surnommé « La Fouine », Gino exhibait des talents de fouille-merde qui le rendaient indispensable à la famille lorsqu'il fallait localiser quelqu'un ou démêler une affaire louche. Il lui arrivait aussi de passer la vie de certains associés au peigne fin avant qu'ils soient initiés au statut de soldat et deviennent membres en règle de la famille.

Je les suivis jusqu'au fond du restaurant, où Vito entreprit aussitôt de me briefer.

– Réal, j'ai un contrat pour toi au Mexique. J'ai pensé à toi, parce que c'est assez spécial. Pas seulement parce que c'est au Mexique. La cible est une fille.

– J'ai jamais gelé une fille, répondis-je aussitôt. De quoi elle a l'air ?

– Gino va te montrer des photos. Avant, je veux juste être sûr que t'as pas de problème avec ça. *What do you say ?*

– En principe, j'ai un problème. Sauf que...

– *Come on, don't give me that shit,* Réal. Les principes, c'est bien beau, mais si c'est pas toi, je vais trouver quelqu'un d'autre. *The bitch is going to pay,* de toute façon. *Capisce ?* Et je vais pas oublier que t'as le cœur trop mou pour frapper une fille, même si les filles, c'est la moitié de l'humanité, et qu'il y en a plein qui sont des crosseuses. *So, is it yes or no ?*

– Bon, ça va. J'ai rien contre le Mexique, et puis il fait pas beau ces jours-ci à Montréal. Je peux savoir qui c'est, maintenant ?

Vito fit un signe à La Fouine, qui sortit de sa veste une enveloppe brune contenant quelques photos prises au téléobjectif. On y distinguait une femme plutôt longiligne, d'abord de profil, puis de face. Elle était vêtue d'un pantalon blanc et d'un bustier noir, et quittait de toute évidence une salle à manger à en juger par le nombre de tables qu'on voyait derrière elle. La qualité des clichés était médiocre. La Fouine n'aurait pas fait long feu comme paparazzi, et encore moins comme photographe de mode.

– Elle est grande et a des cheveux bruns. Elle est pas laide, et m'a l'air pas mal délurée, crut-il nécessaire d'ajouter.

– Tu pourrais la reconnaître facilement ? me demanda Vito.

– Je suis certain que oui. À condition d'avoir un nom, un âge et de savoir dans quel hôtel elle s'est planquée.

– Elle s'appelle Rosalie Columbo, elle a plus ou moins trente ans, et vivait à Laval avant de se sauver, expliqua Vito. Elle se trouve maintenant dans un hôtel de Cancun qui s'appelle le...

– Le Grand Caribe Real Resort & Spa Cancun, déclama Gino, qui avait sans doute gribouillé et mémorisé cette désignation pour ne pas risquer de se tromper en la récitant. C'est un cinq étoiles.

– Rien de trop beau pour madame ! m'exclamai-je, plutôt amusé d'apprendre que la raison sociale de l'hôtel contenait mon prénom.

– Elle est pas mariée ! lâcha Vito, l'air dégoûté.

– Je suppose qu'elle est inscrite à l'hôtel sous son vrai nom ?

– *Esattamente*, répondit La Fouine. C'est comme si elle voulait que tout le monde sache qu'elle est là.

– O.K. J'ai pas l'habitude de chercher à savoir en détail pourquoi je dois rayer quelqu'un de la liste des vivants. C'est pas mes oignons. Mais là, ça m'aiderait à planifier, Vito, si tu me disais ce qu'elle a bien pu faire pour mériter de partir. J'ai besoin de savoir quel genre de fille elle est.

Vito m'exposa la situation, en cherchant manifestement à ne pas trop en dire. Rosalie Columbo, gérante d'un restaurant sécurisé où Big Joey et son *consigliere* discutaient souvent affaires, avait été prévenue par un jeune soldat de la famille que le chef la soupçonnait de refiler des informations confidentielles à une bande de motards criminalisés, et qu'il comptait la forcer à se mettre à table. Elle s'était aussitôt volatilisée, non sans avoir raflé dans le coffre-fort du resto des liasses de billets de banque usagés totalisant neuf cent mille dollars. Des dollars américains. Déposé en consigne par le chef lui-même, le cash était destiné à un trafiquant de drogue vénézuélien avec lequel il avait rendez-vous le lendemain à l'heure du lunch. Big Joey, qui avait enjoint son soldat de bluffer Rosalie, avait été informé le lendemain qu'elle ne s'était pas présentée au travail et il avait compris, en constatant la disparition des fonds réservés au Vénézuélien, qu'il avait eu raison de la soupçonner. Furieux, il avait aussitôt ordonné à Vito de la localiser, de récupérer le cash et de la refroidir. Avec le concours de collaborateurs bien placés à l'aéroport de Montréal, et au terme d'une enquête rondement menée à Cancun, Gino avait réussi à retrouver la fille.

– Je suppose qu'elle est partie sur Air Transat ? demandai-je.

– Négatif, lança La Fouine. US Airways. Elle a décollé sur le premier vol disponible le 22 novembre, vers sept heures. Elle est passée par Philadelphie et est arrivée à Cancun un peu après midi. Comme ça, elle pouvait sortir des avions et des aéroports et se perdre dans la nature avant même qu'on commence nos recherches. Je te l'ai dit, elle est délurée. Elle a trouvé un hôtel seulement une fois rendue à Cancun.

– Elle doit pas être si délurée que ça, Gino, puisque même toi, t'as pu la retrouver...

Vito esquissa un sourire narquois, pendant que La Fouine me gratifiait d'un regard assassin.

– Et le cash ? Vous l'avez récupéré ?

– Pas encore, répondit Vito. Ça va faire partie de ton contrat de nous dire où il est.

– Attention ! Je suis pas un détective, moi. C'est pas ça, ma spécialité.

– Veux-tu me faire croire que t'as jamais cassé une jambe ou écrasé une couille pour obtenir un renseignement ?

– Oui, ça m'est arrivé, mais jamais avec une femme. Surtout pour la couille, même si celle-là m'a l'air d'en avoir plus que bien des hommes.

– Écoute-moi bien, Réal. Si t'es trop sentimental pour opérer, dis-le tout de suite, pour que j'arrête de perdre mon temps avec toi. Tout ce que je veux, c'est savoir où est le cash, et puis tu frappes la fille. *That's all !* T'as un problème avec ça ?

– Bon. Je vais m'arranger. J'ai jamais saboté un contrat, et c'est pas à trente-quatre ans que je vais commencer.

– Je te fais confiance. Je sais que t'es un pro. Peut-être le meilleur. Il faut juste que t'arrêtes de toujours séparer les hommes des femmes, les fins des pas fins, les beaux des pas beaux. Il faut juste que tu vois la fille comme elle est : une *bitch*. Point ! Veux-tu que Gino retourne là-bas avec toi, pour t'encourager ?

L'idée de me retrouver avec ce raseur au Mexique, d'avoir à partager mes repas et mes soirées avec lui, de sentir continuellement son haleine de cheval sur ma nuque, ne me plaisait vraiment pas. Et puis, je n'allais quand même pas perdre la face en répondant par l'affirmative à une question aussi provocatrice.

– Une fois ma cible repérée, je travaille toujours seul. C'est ma façon à moi, tu le sais bien.

– Comme tu voudras. As-tu d'autres questions ?

– Je peux partir lundi. Est-ce qu'il va falloir que je m'occupe du billet d'avion et de la chambre d'hôtel ?

– On va faire ça pour toi, Réal. T'as un passeport, j'espère ?

– Bien entendu. Et pour la quincaillerie ?

– Tout est prévu, répondit Vito. Avec le billet électronique et la confirmation pour l'hôtel, on va te donner les coordonnées de Porfirio Sanchez, qu'on a déjà mis dans le coup.

– Ça veut dire quoi, « mis dans le coup » ? demandai-je, perplexe.

– *Don't be so damn suspicious,* Réal. Il va seulement t'équiper.

– Qu'est-ce qu'il fabrique dans la vie, ton Porfirio ?

– Fais attention de te comporter correctement avec lui. Ce gars-là est malin comme un singe, et il est le patron là-bas. Il contrôle presque tout sur la Riviera, et il va pouvoir te prêter un morceau avec un silencieux, et le kit au complet. T'auras même une boîte de balles perforées si c'est ce que tu veux. Au besoin, il pourra aussi te prêter toutes sortes d'autres armes, comme un petit Uzi, ou même un bazooka.

– J'en demande pas tant, même si Gino dit que la fille est délurée. À part ça, j'ai bien vu que sa carrosserie ne ressemble pas à un char d'assaut.

En retournant chez moi, je sentis déjà qu'il pourrait y avoir du sable dans l'engrenage, et me demandai pourquoi je n'avais pas passé mon tour, compte tenu de cette histoire de fric à localiser, et aussi du contrat, qui pour la première fois serait une demoiselle. Je venais de briser ma première règle : n'accepter pour cible qu'un homme déjà lourdement impliqué dans des activités criminelles, et jamais une femme. Bien sûr, s'il était vrai que Rosalie Columbo avait dérobé une grosse somme à Big Joey, elle avait commis un acte criminel, et j'aurais pu justifier mon accord en reconnaissant qu'elle ne méritait pas mieux que tous les autres que j'avais punis pour avoir enfreint les règles. Pourtant, parce que j'avais toujours évolué dans un milieu où les ordures semblaient appartenir systématiquement au genre masculin, je n'avais jamais considéré les femmes associées à ce milieu autrement que comme des êtres dominés, exploités et souvent maltraités. Malgré ce que m'en avait dit Vito, j'arrivais difficilement à me convaincre que Rosalie Columbo méritait le châtiment que je m'étais engagé à lui infliger.

Le souvenir de Pénélope commençait à s'estomper, et cette fille que j'avais accepté de liquider occupait déjà beaucoup trop de place dans mes pensées.

3

À l'aéroport international de Cancun, qui ne m'était pas inconnu, je repérai facilement la navette du Grand Caribe Real, qui me fit accéder en moins de trente minutes à la zone hôtelière, un long ruban de vingt-cinq kilomètres en forme de « 7 » qui longe la lagune. Le trajet me donna l'occasion de comprendre à quel point la ville elle-même et sa banlieue, situées derrière ce qui était jusqu'à récemment une fantastique bande de sable blanc aux eaux turquoise, habitée par les familles d'une poignée de pêcheurs mayas, s'étaient transformées au fil des ans en une triste et laide concentration d'habitations à loyer modique et d'établissements commerciaux sans personnalité.

Rendu à l'hôtel, je fus agréablement impressionné par l'ampleur des efforts qui avaient été déployés pour en faire l'un des plus luxueux du pays. Le vaste hall tout en beige et crème était lumineux et aéré, et tranchait avec les décors souvent trop lourdement chargés des palaces internationaux. Les grands yeux noirs et le teint de pêche de la réceptionniste n'avaient rien non plus d'ordinaire, et son efficacité fut telle que, moyennant un large sourire, j'eus accès en moins de cinq minutes à une jolie suite perchée au quatrième étage et donnant sur la plage.

Une fois installé, je brûlais d'envie de repérer ma cible. Mais je me forçai à établir d'abord le contact avec Sanchez, pour prendre livraison de mes outils de travail.

Deux types à la mine patibulaire vinrent me cueillir dans une énorme Mercedes blanche et me conduisirent au centre-ville, jusqu'à un bar baptisé The Yellow Rock, devant lequel deux athlètes à peau brune et moustache épaisse faisaient les cent pas avec l'air de s'ennuyer prodigieusement. L'un d'eux, affublé de vert olive de la tête aux pieds, me précéda à l'intérieur, où m'accueillit un homme de petite taille, doté d'un étrange visage triangulaire, comme si on lui avait comprimé la face dans un étau entre le nez et le menton. Le type me guida jusqu'à une pièce située au fond d'un couloir. Un individu très bronzé au front haut, les cheveux poivre et sel coiffés en arrière, y était installé derrière une table de travail en acajou. Vêtu d'un costume clair de belle coupe et d'une chemisette rose à col ouvert, arborant une bague tape-à-l'œil sertie de ce qui ressemblait à un énorme rubis, l'homme affichait une allure athlétique malgré la cinquantaine avancée, et dégageait une bonne dose de sérénité. On devinait facilement qu'il s'agissait du caïd.

Il confirma son identité, tendit la main et me gratifia d'un *buenas tardes* énergique, tout en m'invitant à m'asseoir. Je songeai que ce Sanchez faisait preuve d'une urbanité dont Big Joey, Vito et les autres auraient avantage à s'inspirer.

– J'en ai pour une minute, et je suis à vous, *amigo*. Vous voulez boire quelque chose ? Plutarco !

Le nabot qui m'avait accueilli apparut aussitôt, et je demandai un *café américano*.

Sanchez, qui avait extrait d'un attaché-case plusieurs liasses de billets de banque, finissait de compter et d'empiler le cash, en formant cinq tas de même épaisseur et probablement de même valeur. Parfois, un billet frémissait sous le souffle du brasseur d'air qui ronronnait au plafond. Finalement, le fric fut placé dans cinq enveloppes et Sanchez leva les yeux vers moi, tout en m'adressant un sourire éclatant.

– Merci d'être aussi patient, monsieur Beauregard. Alors ! Mes amis de Montréal m'ont fait savoir que vous aurez besoin de quelques outils pour accomplir votre travail. Y a-t-il un instrument qui vous plairait plus qu'un autre ? Je dispose d'un petit arsenal pas mal du tout, vous savez.

Comme Vito l'avait annoncé, Sanchez me proposa des armes de poing de divers calibres, au nombre desquelles se trouvaient quelques lourdes pétoires qui devaient bien dater de la révolution mexicaine. J'éliminai les revolvers, qu'il est toujours difficile d'insonoriser correctement, et choisis un pistolet semi-automatique Ruger MK II de calibre .22, un joujou très populaire du fait de son faible recul et d'une bonne prise en main. Je n'ignorais pas que cette arme était utilisée depuis longtemps par les forces spéciales américaines, la CIA et les agents du Mossad dans leurs services actions. Je savais aussi qu'elle avait été produite à trois millions d'exemplaires, ce qui était de nature à compliquer les choses lorsqu'il fallait en retracer le propriétaire.

Sanchez me fit remettre aussi un silencieux, deux chargeurs de dix coups, une boîte de balles et un holster. Il me proposa même une veste pare-balle.

– Cela pourrait être utile, si jamais la police vous poursuit dans la rue, ou peut-être en voiture, ajouta-t-il.
– Je vous remercie, *Jefe*, répondis-je. Ça ira très bien ainsi. J'ai l'habitude d'être excessivement discret, voyez-vous.
– Comme vous voudrez, répondit Sanchez. Si vous avez besoin de quoi que ce soit d'autre, n'hésitez pas à me faire signe. Big Joey Scalpino est un ami avec qui je trouve beaucoup d'avantages à m'associer, et je tiens à ce que ses collaborateurs ne manquent de rien dans notre belle région.

De retour à l'hôtel, je rangeai soigneusement mes outils tout au fond du coffre de sécurité ancré dans la penderie de ma suite. Résistant à l'envie de m'enquérir du numéro de chambre de Rosalie Columbo, j'entrepris d'explorer les lieux, mains dans les poches et vêtu d'un discret polo noir, d'un short beige et de sandales de plage assorties. J'arpentai le grand hall, puis le jardin exotique, et me dirigeai vers la plage où je crus reconnaître, de dos, la silhouette que Gino avait photographiée à mon intention. Mais la femme se retourna bientôt, et je constatai qu'il s'agissait d'une belle et élégante quinquagénaire capable de dissimuler parfaitement son angoisse de voir bientôt les hommes la considérer comme une dame d'âge mûr. J'arpentai toute l'étendue de la plage sans être en mesure d'effectuer un rapprochement probant avec la femme photographiée. C'est finalement aux abords de la piscine que je la localisai.

J'eus tôt fait de comprendre qu'en plus d'être un piètre photographe, La Fouine était totalement dénué du sens de l'observation, ou avait fait preuve à tout le moins d'une sérieuse carence de vocabulaire en décrivant Rosalie Columbo comme « une femme brune et plutôt grande, dans la trentaine, pas laide, avec l'air d'être pas mal délurée ». Je l'observai, ébloui. Elle était allongée sur un transat, les yeux clos, vêtue d'un bikini orangé, et elle était seule. Très grande, elle paraissait légèrement plus jeune que sur les photos, et avait la peau claire de celles qui viennent de quitter l'automne ou l'hiver. Un chignon à demi défait, des lèvres pulpeuses, une poitrine ferme et généreuse, des épaules bien dessinées, une taille mince et des hanches étroites, des jambes interminables, tout contribuait à en faire une beauté à couper le souffle. Elle était simplement magnifique. Son corps était si parfait que j'eus l'impression, en réalité, de contempler une œuvre d'art plutôt qu'un être humain.

Je m'installai sous une paillote, légèrement en retrait, commandai une Corona, et entrepris de lorgner la jeune femme, qui maintenant assise poursuivait la lecture d'un bouquin. J'appris alors certaines choses intéressantes à son sujet. Elle portait des verres de lecture, ne fumait pas, mais un garçon lui apportait cocktail par-dessus cocktail, qu'elle éclusait à un rythme soutenu. J'attribuai ce comportement au stress dont doit naturellement être victime toute personne qui est en cavale, à l'éthylisme, ou peut-être à une combinaison des deux. Je remarquai qu'elle captait l'attention de plusieurs autres hommes, et il me parut bientôt évident qu'elle savait que ces hommes se rinçaient l'œil en la voyant balancer sa croupe ronde et ferme devant eux lorsqu'elle allait faire un brin de baignade, leurs regards s'attardant sur ses épaules, sa taille, ses hanches, ses jambes, et que ça ne lui déplaisait pas d'être détaillée de cette manière, de deviner, de sentir ces yeux concupiscents caresser tout son corps.

Victime de l'extraordinaire attrait sensuel qui se dégageait de sa personne, je fus bientôt submergé par le désir. Mon rythme cardiaque ne tarda pas à s'accélérer sous l'effet de pulsions lubriques, et je me mis à convoiter follement cette Rosalie, bien résolu à la conquérir avant d'accomplir ma double mission. La vue d'un grand gaillard blond, athlétique, séduisant sans être bellâtre, me fit comprendre à quel point le temps pressait et la compétition s'annonçait féroce. Je commençai à imaginer diverses façons d'éveiller son intérêt. Il fallait que je me serve de mon charme, discrètement ou non, pour faire une profonde impression sur elle, quitte à prendre des risques. Je me souvins d'une remarque qu'avait formulée un jour mon ami Dexter, pianiste de jazz installé à Boston : « Les jolies femmes poussent toujours les hommes à prendre des risques, même lorsqu'ils ne sont pas des héros. »

Ce soir-là, je dînai au restaurant déjà choisi par Rosalie, installé de façon à pouvoir continuer de l'observer tout à mon aise. Elle était vêtue d'un bustier noir et d'un pantalon blanc, comme sur les photos, et ne portait pour tout bijou qu'un bracelet en vieil argent comme on en trouve partout au Mexique. De toutes les clientes présentes, elle était de loin la plus séduisante, et je ne m'expliquais toujours pas comment il se faisait qu'aucun mâle ne s'était encore manifesté pour lui faire la cour, à défaut de lui tenir compagnie. De voir cette femme esseulée me rendait fou, et je dus me retenir pour ne pas chercher son regard et lever mon verre à sa santé. Plus tard, lorsqu'elle quitta la salle à manger, je la pris très discrètement en filature et découvris qu'elle occupait la chambre 427, à deux portes de chez moi.

Je me rendis bientôt à la boîte de nuit de l'hôtel, joliment baptisée El Cielo, en songeant que si elle s'y pointait, je serais le premier à l'aborder. Il y avait là un grand bar en forme de croissant derrière lequel officiaient un barman et une barmaid, une vingtaine de tables plongées dans une pénombre propice aux rapprochements prometteurs, une piste de danse et un disque-jockey qui, sous prétexte de créer l'ambiance, vomissait le décibel au point d'empêcher les clients de converser normalement.

Une entraîneuse prit place d'autorité à mes côtés. Son physique était agréable, et son maquillage soigné empêchait de deviner son âge. Dolorès – c'était son nom – me gratifia d'un sourire complice et demanda si j'offrais le champagne. Je fis signe que je n'étais pas d'attaque ce soir-là, et quelque chose dans mon expression lui fit juger préférable de ne pas m'appeler *mi corazon*. Je commandai une Corona et elle s'effaça.

Trente minutes plus tard, Rosalie Columbo ne s'était pas pointée, et je pus espérer être le premier à établir le contact avec elle le lendemain matin. De retour à ma chambre, je n'allumai même pas la télé, et me mis au lit avec la ferme intention d'être frais et dispos au réveil. À la pensée de me rapprocher dangereusement de Rosalie, je fantasmai légèrement, mais je me sentis bientôt mal à l'aise. J'avais pour règle de ne jamais mêler le boulot et les sentiments, et de ne pas m'intéresser indûment au physique ou à la personnalité d'une cible, qui dans tous les cas ne devait représenter qu'un problème à régler, une épine à extirper de la vie de mon client. Et voilà que j'avais déjà entrepris de briser cette règle, la deuxième en trois jours. J'avais la sensation que mon cerveau de professionnel se transformait rapidement en bouillie, et je vous jure que je n'aimais pas ça.

Je dormis plutôt mal cette nuit-là, et il m'arriva même de m'éveiller en sursaut, haletant et couvert de sueur. Je venais de rêver à une belle jeune femme brune, triste comme un soir d'orage, qui hurlait à la mort comme une louve.

– Non ! m'écriai-je d'une voix éraillée. Je dois le faire ! Je dois le faire !

M'étant levé bien avant l'aube, j'eus le temps de noircir deux grilles de mots croisés et d'écluser deux cafés avant de descendre à la salle à manger, où je m'envoyai un copieux petit-déjeuner. Rosalie n'étant pas visible, je m'installai dans un coin du grand hall, un livre à la main, guettant le moment où elle s'orienterait vers la piscine ou la plage. Elle ne me fit pas trop attendre, et la chance me sourit bientôt puisque dès neuf heures elle se dirigea vers la piscine, jusqu'à un transat que jouxtaient deux autres places libres. Je laissai écouler une trentaine de secondes, et me dirigeai d'une démarche aussi relaxe que possible vers un transat voisin du sien, où je déposai négligemment mon sac et me préparai à profiter enfin du soleil, et surtout de la présence à mes côtés de celle qui me rendait tout chose depuis la veille. Rosalie, toujours aussi aguichante dans un bikini bleu poudre, était déjà allée faire trempette. En étirant le cou, je pus lire le titre de son bouquin : *Le Blues du libraire*, de Lawrence Block. Elle revint au bout de cinq minutes, un premier cocktail à la main, et s'installa.

J'eus bientôt la nette sensation que tout en faisant mine de lire, elle me jetait quelques œillades derrière ses verres légèrement teintés. Nos regards finirent par se croiser, et je sus immédiatement que le sien était actif, rapide, et décortiquant. Il y avait de l'électricité dans l'air, trop d'électricité, et mon cœur se mit à battre à tout rompre. J'aurais voulu dire quelque chose, mais j'en fus incapable. Et il ne fallait surtout pas que je débite des âneries. J'avais lu quelque part que la réussite ou l'échec d'une première rencontre se jouait en moins de quatre minutes. L'écran qui nous séparait devait être défoncé, mais pas n'importe comment. En réalité, il fallait seulement que je trouve à dire quelque chose d'un peu humoristique, qui la ferait au moins sourire. Mais quoi ?

Elle plongea la main dans son sac, en retira une crème de soin bronzante, et s'en couvrit les bras et les mains. Puis elle retira ses verres, pivota légèrement, et s'adressa à moi :

– *Excuse me. Is there a problem with my mascara ?*

Pris au dépourvu par cette question qui m'était posée en anglais, et totalement décontenancé à la vue des yeux émeraude qui me transperçaient, je ne savais trop quoi répondre.

– Désolé, j'ignore ce que vous voulez dire, finis-je par articuler.

– Je dis ça à cause des regards insistants que vous me jetiez hier, ici même, puis au restaurant. Et tout à l'heure. Mais c'est pas grave, je ne suis pas du genre à traîner un homme en justice pour harcèlement visuel. Dites donc, est-ce que mon accent est terrible au point où je ne suis pas crédible en Américaine ?

– Ce n'est pas tant votre accent que votre livre…

– On dirait bien que rien ne vous échappe à mon sujet…

Je me redressai et pivotai à mon tour pour lui faire face. Elle continuait de me fixer en affichant un sourire énigmatique. Se moquait-elle de moi en me laissant savoir qu'elle m'avait repéré dès mon arrivée ? Se doutait-elle de quelque chose de beaucoup plus alarmant à mon sujet ? Cherchait-elle tout simplement à entamer une conversation ? Qu'importe, je décidai de jouer le jeu.

– Écoutez, j'aurais mis ma main au feu que vous êtes pas américaine, indépendamment de votre livre ou de votre accent. Surtout avec le physique que vous avez. Au départ, j'aurais plutôt opté pour l'Espagne, mais tout compte fait je dirais que vous êtes du Vieux-Montréal, ou peut-être de Saint-Bruno. Je me trompe ?

Elle éclata de rire, ne se doutant manifestement pas que je savais qu'elle était de Laval.

– Vous avez un sens de l'observation plutôt bien aiguisé, mais je suis ni de Montréal, ni de Saint-Bruno. J'avoue toutefois que vous n'êtes pas loin.

– Comme je ne peux pas me fier à mon sens de l'observation, il va donc falloir que je me rabatte sur les six autres…

– Vous avez sept sens ?

– Tout à fait ! Et vous, vous avez un sixième sens ? Ç'est comme l'intuition, ça permet de percevoir des réalités qui ne sont pas évidentes pour tout le monde.

– Vous savez bien que ce sens-là se retrouve chez toutes les femmes. Chez moi, il est particulièrement développé, surtout en ce moment. Je devine beaucoup de choses dont vous seriez surpris, et qui finissent presque toujours par se manifester. Mais je dois dire que ce sont les cinq autres qui m'aident le plus à profiter des plaisirs de la vie. Pas vous ?

– Absolument ! Surtout pour le toucher. C'est mon sens préféré.

– Moi aussi, j'aime toucher. Mais j'adore goûter, aussi. Avez-vous vu la carte des cocktails à base de tequila ? J'ai compté cent cinquante-huit recettes. Plusieurs ont des noms absolument délirants.

– Ce que vous venez de boire, c'est un Margarita ?

– Pas du tout. Ça s'appelle un *Slow Mexican Screw !* C'est à base de tequila, de gin et de jus d'orange. Hier, j'ai essayé entre autres le *Mexican Asshole*, qui contient du tabasco, le *Hand Grenade*, préparé avec du jus de canneberge rouge, et le *Paralyser*, dans lequel on mélange tequila, vodka, kahlua, cola et crème. Et aussi mon préféré, le *Adios Motherfucker*. En plus de la tequila, ils y mettent vodka, rhum, gin et curaçao. Jus de citron, sucre et soda en prime, bien sûr. C'est sublime !

Notre conversation se poursuivit par intermittence au cours de la journée, et j'appris encore quantité de choses au sujet de Rosalie, tout en faisant preuve moi-même de réserve lorsqu'il fallait répondre à ses questions. Le problème, c'était que plus je la connaissais, plus elle m'ensorcelait, et que les ondes qu'elle dégageait semblaient m'envelopper tout entier. Finalement, je lui proposai un rendez-vous à l'heure du dîner, et elle acquiesça. Au moment où elle allait partir, elle demanda :

– On se tutoie ? Je pense qu'on se connaît assez pour ça, non ?

– Je suis bien d'accord, répondis-je. Surtout qu'on est en vacances.

– Tu m'as dit que ton prénom était Réal, mais je connais pas ton nom de famille.

– Beauregard. Et toi ?

– Columbo. Mon grand-père m'a déjà dit qu'on descendait en droite ligne de Christophe Colomb.

– Je le savais bien que t'avais du sang espagnol, mentis-je.

– Mon aïeul a travaillé au Portugal et en Espagne, mais c'était un Italien. La preuve, c'est que je suis née à Saint-Léonard ! lança-t-elle, gaie comme un pinson au terme d'une longue dégustation de cocktails aux noms les plus fantaisistes.

Ce soir-là, Rosalie était vêtue, non pas d'un bustier et d'un pantalon, mais d'une petite robe noire au décolleté affriolant, qui laissait d'autant moins de doute quant à la fermeté insolente de sa poitrine qu'elle ne portait aucun soutien-gorge. Son chignon était impeccablement coiffé, ses paupières n'étaient pas maquillées et le rouge de ses lèvres était discret. Elle n'arborait aucun bijou, et s'en passait très bien.

Devant un respectable filet mignon de porc farci à la mangue, arrosé d'un rouge chilien légèrement trop corsé, elle me demanda ce que je faisais dans la vie. Je répondis que j'étais musicien, plus précisément contrebassiste. Elle confirma qu'elle s'occupait d'un restaurant, sans en mentionner les spécialités. Il fut ensuite question des charmes du Mexique et d'une foule d'autres sujets. J'appris qu'elle adorait le snorkeling, et qu'elle lisait beaucoup. Surtout des polars. Je voulus en savoir davantage.

- J'ai vu aujourd'hui que tu lisais un bouquin de Lawrence Block. C'est un de mes auteurs préférés. Le connais-tu bien ?

Elle avait lu récemment *Le Blues du tueur à gages*, et avait aimé, en particulier l'épisode du pit-bull et des trois femmes. Mais elle déclara que le thème autour duquel le bouquin était bâti lui avait procuré quelques frissons.

- J'ai du mal à croire qu'un type puisse tuer aussi froidement, sans avoir l'air de se rendre compte de tout le mal qu'il fait aux proches de ses victimes. Ça me dépasse. Il me semble que l'argent peut pas être un motif suffisant pour zigouiller des gens, à répétition. Même si c'est beaucoup. T'as une idée, toi, combien ça peut coûter de faire descendre quelqu'un ?
- Bah, ça doit dépendre du client, puis aussi de l'importance du gars qui est ciblé. Et peut-être du niveau de difficulté à prévoir...

Je décidai de ne pas m'aventurer plus loin sur un terrain qui pouvait rapidement s'avérer miné.

T'es ici pour longtemps ? demanda-t-elle.

- Une semaine, peut-être deux. Je suis pas pressé de retourner au frigo. Et toi ?

– Je prends mon temps, moi aussi. J'aime trop le soleil, et ça ne me dérangerait pas de décrocher complètement. Il m'est arrivé de songer à exploiter un restaurant dans le Sud de la Thaïlande. J'y suis allée deux fois déjà, et j'aime beaucoup. Mais avant, il faudrait que je fasse un peu plus d'économies.

Rosalie paraissait donc avoir envie de vivre éventuellement sous les tropiques, comme moi. Et l'idée de se retrouver à l'autre bout du monde ne semblait lui poser aucun problème. Je me rendis compte à quel point son avenir dépendait de moi, de ce que j'allais décider. Depuis ma rencontre avec Vito et son enculé de fouille-merde, j'avais droit de vie ou de mort sur elle. Cette pensée, qui aurait pu en d'autres circonstances me procurer un sentiment d'euphorie, me coupa carrément l'appétit.

– Tu portes bien ton nom, lâcha-t-elle soudainement, comme si elle voulait brouiller davantage le fil de mes pensées.

– C'est-à-dire ?

– T'as de beaux yeux. J'ai toujours aimé les hommes aux yeux pers, surtout lorsque ces hommes sont grands, comme toi.

– Mes yeux sont loin d'être aussi beaux que les tiens, Rosalie, rétorquai-je d'une voix mielleuse.

À la fin du repas, je l'entraînai sur un sentier qui menait à un bar situé en bord de mer, où j'avais proposé que nous prenions le digestif, tout en respirant l'air iodé. Les palmiers se balançaient doucement dans la brise tiède de la nuit, et de vagues senteurs de bougainvillées embaumaient l'atmosphère. Alors que nous longions un mur et que nous étions enveloppés par la pénombre, Rosalie s'appuya soudain à la rambarde et se laissa aller en arrière, renversant la gorge.

– Il n'y a personne, murmura-t-elle d'une voix rauque. Prends-moi ! Je sais que t'en rêves depuis hier.

Elle s'empara aussitôt de ma main et y déposa un préservatif. À deux mains, elle releva ensuite sa jupe sur ses hanches, les longues cuisses ouvertes et le bassin en avant. Elle ne portait pas de slip. D'abord inquiet, mais investi d'une envie incontrôlable, je libérai mon sexe, qui se dressa aussitôt, et me protégeai. En plongeant ma main entre ses cuisses, je compris qu'elle était déjà d'attaque, elle aussi. Je la pénétrai lentement, le plus loin possible. J'entrepris d'aller et de venir, au bord du délire, et me sentis bientôt happé comme par une pieuvre interne qui m'avalait, me serrait, me relâchait, cherchant à me faire crier grâce. Jamais je n'avais été stimulé de cette façon, et je luttai bientôt pour me retenir. Dans un brusque mouvement des hanches, je la renversai sur la rambarde. Elle se laissa faire, cambrée au maximum. En même temps, j'avais encore relevé sa jupe. Dans la lueur d'un réverbère lointain, je vis son ventre nu qui ondulait.

– Touche-moi les seins, touche, me répéta la voix basse et rauque.

J'introduisis une main dans son corsage et la caressai, lentement, doucement. Puis, sous mes coups de boutoir, elle se mit à pousser de petits gémissements saccadés, secouée de tremblements involontaires. Je ne pus m'empêcher de penser, l'espace d'une seconde, à quel point j'étais cinglé, moi, avec un contrat sur la tête de Rosalie, en train de lui faire l'amour, dehors, dans un lieu public où des gens pouvaient nous surprendre à tout moment. Je jouais avec le feu. Mais c'était plus fort que moi. Cette fille était trop excitante. Il y eut un moment où je sentis que j'étais parfaitement possédé. *Tant pis*, me dis-je, surexcité. *C'est trop bon !*

– Viens ! Viens ! chuchota Rosalie.

Elle gémit en même temps que moi. Je la relevai par la taille, et elle vint s'appuyer contre moi, dans un mouvement de tout le buste. Nous restâmes longtemps soudés l'un à l'autre, secoués de spasmes. Nos lèvres s'effleurèrent. Celles de Rosalie étaient tièdes et tremblaient légèrement. Je sentis bientôt sa langue venir à la rencontre de la mienne. Elle noua finalement ses bras autour de ma nuque, et demeura collée à moi des épaules aux genoux, les yeux clos. Ce fut elle qui, la première, reprit ses esprits.

– T'es vraiment bien doué, murmura-t-elle.

Elle s'étira, se renversa, et se passa la main dans les cheveux, plus belle et désirable que jamais.

– On se revoit demain ? demandai-je.

– Tu lis dans mes pensées, répondit-elle, en souriant. J'ai prévu de visiter la vieille cité de Tulum.

Elle caressa sa lèvre inférieure avec l'ongle du pouce droit.

– On retourne à l'hôtel ? demanda-t-elle.

– Tu veux aller en boîte ?

– Je pensais à un endroit plus intime, comme ma chambre. Ou peut-être que tu préférerais la tienne ?

– Ma suite est un vrai bordel.

– Et alors ? Qu'est-ce que tu crois qu'on fait dans un bordel ?

Mon cœur continuait de battre la chamade et j'eus l'impression que le monde tournoyait avec, pour centre, une fille magnifique. Une fille dont j'ignorais pratiquement tout, rencontrée le jour même au bord d'une piscine, où elle faisait bronzette, qui avait accepté de dîner en ma compagnie, et qui avait fini par me posséder à sa façon, au moment où ça lui convenait. Elle s'était servie de moi pour satisfaire ses bas instincts, sous la lune, là où on aurait pu nous surprendre, comme des gamins. Elle avait pris les commandes, et contrôlait tout. Moi qui avais le mandat de la dépouiller de son trésor et d'écourter sa vie, j'étais désemparé.

Était-ce possible qu'en moins de quarante-huit heures, j'aie dégringolé la pente au point qu'au moment où j'aurais eu besoin de toutes mes forces pour résister aux initiatives de Rosalie et échafauder un plan d'attaque, je me sentais parfaitement dominé ? Une voix en moi m'implora : *Laisse-toi pas mener comme ça, Réal. Réagis ! Tu sais même pas dans quoi tu t'embarques. Donne-toi le temps de réfléchir avant d'aller plus loin !* Mais la voix manquait de conviction, et je me retrouvai bientôt devant la chambre 427.

Rosalie ouvrit, m'entraîna à l'intérieur et referma la porte. Elle fit aussitôt glisser les bretelles sur ses épaules et la petite robe noire sous laquelle elle était nue tomba sans bruit sur le sol. Ses seins et son ventre se pressèrent contre moi, doux, chauds, follement excitants, et sa langue trouva la mienne, tandis que mes mains vagabondaient sur sa peau brûlante. Puis elle entreprit d'arracher mes vêtements. La voix intérieure se manifesta encore : *Réal, ta queue est en train de remplacer ton cerveau ! T'es qu'un minable jouet pour cette femme-là. Peut-être qu'elle en sait trop long à ton sujet, et qu'elle te tend un piège. Réagis ! Fais quelque chose !*

Mon nouveau cerveau avait réagi depuis belle lurette, et se préparait de toute évidence à faire quelque chose. Rosalie se débarrassa de ses escarpins, m'entraîna dans la salle de bains et ouvrit la porte de la douche.

– Viens avec moi, ordonna-t-elle.

4

Au terme d'une nuit qui ne m'avait guère porté conseil, occupé que j'étais à m'épuiser pour mieux réaliser les fantasmes de Rosalie, nous quittâmes l'hôtel en début de matinée le lendemain à destination de Tulum, située à deux heures de route de Cancun. Elle tenait vraiment à visiter la seule cité portuaire maya découverte à ce jour, et l'un des rares centres cérémoniels encore en activité lorsque les Espagnols débarquèrent au Mexique. Pendant près de trois heures, je l'accompagnai en folâtrant d'une ruine à l'autre, comme je l'aurais fait avec ma blonde lorsque j'étais cégépien à Shawinigan et que je ne réfléchissais pas aux conséquences de mes actes. La vie était belle.

Pour clore cette journée plutôt éreintante, je partageai avec elle un copieux dîner au terme duquel elle fit preuve de retenue dans ses envies lubriques, ce qui me permit de profiter enfin d'un sommeil réparateur. Le lendemain matin, elle alla explorer, seule, quelques grands magasins de Cancun. Je m'installai sous un parasol, bien décidé à faire le point, et à décider de ce que je voulais faire du reste de ma vie.

Parce que j'étais au fond un homme simple, qui avait appris depuis sa tendre enfance à ne pas rêver en couleurs et à apprécier la moindre joie qui se présentait, je n'avais jamais cessé de me voir comme un être comblé à bien des égards. Il fallait que cela continue, coûte que coûte. Je le devais à ma mère, et je le devais à mon oncle Maurice.

Fils unique, de père absent, j'avais été élevé par ma mère à Saint-Tite, en Mauricie. Propriétaire d'un modeste dépanneur attenant à notre maisonnette, elle y avait écoulé quotidiennement de longues heures et n'avait pas été aussi disponible qu'elle l'aurait souhaitée pour bien s'occuper de moi. Mais elle s'était toujours appliquée à me préparer de bons petits plats, et avait cherché à me faire plaisir en m'offrant régulièrement des jouets éducatifs, puis des romans d'aventure, des recueils de mots croisés et des équipements de sport qui devaient me permettre d'exercer convenablement mes facultés et mon corps tout entier. C'était une femme très sociable, qui voyait le hockey et le baseball comme des moyens de bien intégrer son fils dans la vie du village. Mais puisque je n'étais pas arrivé à acquérir les habiletés requises, plusieurs jeunes de mon âge avaient cherché à m'exclure de leur équipe. Je préférais de toute façon lire et flâner dans la nature avec Paulo Lacasse, mon meilleur ami. Si vous aviez vu nos collections de papillons et nos herbiers, vous les auriez trouvées magnifiques. Nous en étions très fiers, et nous ne manquions jamais de les exposer lorsque l'occasion se présentait.

Mon père avait déserté le foyer familial au cours de ma première année d'existence, et son absence m'avait sûrement affecté, sans que je sache exactement comment. Mes besoins à cet égard avaient toutefois été largement comblés lorsqu'un frère de ma mère, agent de la Sûreté du Québec, avait été affecté à Saint-Tite. J'avais quatorze ans. Ce bon vivant célibataire raffolait de gibier, et avait décidé que j'allais l'accompagner à la chasse au lièvre et à la perdrix. Mon oncle Maurice était rapidement devenu pour moi, non seulement une figure d'autorité et un guide, mais aussi un ami avec lequel il était possible de discuter de tout et de rien. Il m'avait fait cadeau d'une carabine de calibre .22 LR et m'avait enseigné le tir à la cible et les règles de sécurité à respecter. Voyant que je contrôlais tout, et étonné par la puissance de ma concentration, il avait entrepris de m'initier au tir au pistolet de calibre .22 LR. Les résultats ne s'étaient pas fait attendre. À quinze ans, je fauchais le cou des perdrix. À seize ans, j'étais champion du club de tir local. Et à dix-sept ans, je remportais le championnat junior provincial de tir au pistolet. Grâce à lui, j'étais devenu quelqu'un !

Pour me récompenser, mon oncle m'avait offert une contrebasse d'occasion, dont je rêvais depuis que j'avais écouté à la radio, quelques mois plus tôt, une émission consacrée à Niels-Henning Pedersen, un contrebassiste danois capable d'exécuter d'incroyables solos sur son instrument. Ma mère m'avait offert, quant à elle, une série de cours chez un musicien de Shawinigan qui savait bien enseigner, et j'avais appris rapidement, en écoutant à répétition des enregistrements de grands maîtres de la contrebasse. Je me voyais déjà membre d'un trio ou d'un quatuor qui allait se faire connaître dans les festivals de jazz et être en demande à travers le monde.

Puis, alors que je venais tout juste de fêter mes dix-huit ans et d'entreprendre mes études au cégep de Shawinigan, un malheur s'était abattu sur ma vie. L'homme que j'aimais comme un père et qui m'aimait comme un fils avait été tué à bout portant dans l'exercice de ses fonctions par un braqueur de banque qu'il venait de coincer. C'est à ce moment que j'avais eu ma première rencontre avec la mort violente, celle d'un être bon, qui avait illuminé mon adolescence et m'avait permis de donner le meilleur de moi-même. J'avais pleuré des larmes de douleur et d'impuissance, au travers desquelles pointait une haine dirigée vers tous les braqueurs de banque de ce monde.

À la suite de cette perte, j'avais mené une existence sans histoires, terminant une année de cégep et apprenant à maîtriser ma vieille contrebasse au point d'en tirer quelques revenus lors d'événements communautaires. Puis, las des études et impatient de quitter la Mauricie pour chercher fortune à Montréal, j'avais abouti dans un bar plus ou moins malfamé, où on avait reconnu mes talents de musicien. Les revenus tirés de ce premier emploi m'avaient permis de m'offrir un deux et demi à Montréal Nord, quelques meubles chez IKEA et une fourgonnette d'occasion.

Bien entendu, mon métier de contrebassiste était mal rémunéré, et il fallait bien que j'arrondisse mes fins de mois en permettant aux habitués du bar où je me produisais de consommer des substances capables de leur faire apprécier toute la qualité de mon art. C'est en fraternisant avec des gens de Big Joey, qui m'approvisionnaient, que j'en étais venu un jour à rendre un service beaucoup plus rémunérateur au chef, informé de mes compétences de tireur d'élite. Il voulait que je le débarrasse d'un type qui se croyait tout permis et risquait de faire déraper le business.

En voyant mon contrat pour la première fois, j'avais décidé qu'il avait une sale gueule et ne méritait pas de vivre. Je m'étais procuré un pistolet de calibre .22 LR muni d'un canon court, qui tenait facilement dans la poche, et au moment de frapper ma victime dans les toilettes d'une brasserie de la rue Frontenac, j'étais parvenu à lui trouver une ressemblance troublante avec l'assassin de mon oncle Maurice, et la haine que je lui vouais était implacable. Lorsque ses intestins s'étaient vidés, devant l'urinoir où il venait de soulager sa vessie, j'avais eu envie de dégueuler, mais j'avais réussi à détaler juste à temps pour éviter le face-à-face avec un client qui se dirigeait en sifflant vers la scène de l'incident. J'avais marché d'un pas rapide pendant au moins une heure, en cherchant à consommer le trop-plein d'adrénaline et en m'arrêtant à deux ou trois reprises pour aller vomir dans une ruelle. J'étais malade, mais fier d'avoir su me tirer d'affaire.

Ce premier contrat m'avait permis d'acquérir une fourgonnette d'un modèle beaucoup plus récent et une contrebasse digne de mon talent. D'autres services avaient suivi, tout naturellement, et j'avais pu ainsi acquérir une certaine aisance sur le plan matériel, d'autant plus que, pour des motifs qui me semblaient parfaitement défendables, mes cachets de tireur d'élite n'étaient pas déclarés au fisc.

Je n'avais jamais manqué d'argent, été malade, sombré dans la dépression, ou rencontré une femme séduisante et disponible qui refusât de partager mon lit. Pour toutes ces raisons, l'irruption de Rosalie Columbo dans ma vie ne m'avait pas surpris autant que la chose eût pu surprendre un homme moins comblé. Je n'en étais pas moins ébloui, et reconnaissant envers le destin de cette faveur supplémentaire qu'il me faisait.

La sonnerie de mon BlackBerry se fit entendre.

– Réal, est-ce que tu me préfères en rose, ou en bleu poudre, comme dans mon bikini ? C'est pour une petite robe en coton.

– Va pour le bleu, Rosalie. Ou même le vert, tiens, il me semble que ça irait bien avec tes yeux. Prends ton temps, et assure-toi que tes vêtements sont à ton goût à toi. J'aime déjà ce que tu décideras de porter. À condition que je puisse voir de la peau tout autour. De la peau blanche, de préférence.

– Coquin, va !

Cette fille était une énigme. Elle m'avait avoué la veille, à Tulum, avoir été séduite à l'instant même où elle m'avait entrevu, le jour de mon arrivée, au point de se renseigner sur mon identité, ma nationalité et la durée de mon séjour, et d'avoir tardé à établir le contact pour mieux m'aguicher et éviter de passer pour une fille facile. Avant même nos premiers échanges à la piscine, elle savait donc plusieurs choses à mon sujet, et connaissait déjà les réponses à certaines questions qu'elle m'avait posées. Était-elle intrigante de nature, ou étaient-ce là uniquement les premiers éléments d'un jeu amoureux ? L'avant-veille, j'avais connu avec elle un plaisir indescriptible, et sa compagnie la veille m'avait comblé malgré la fatigue. Je me rendais compte, non sans une espèce d'effroi, que la vie, sans elle, risquait de m'être insupportable. Aucune autre femme ne m'avait jamais fait éprouver ce sentiment.

Jusqu'alors, j'avais eu pour principe de vivre seul, pour ne pas avoir à partager mes secrets, et je m'étais toujours prudemment gardé de m'attacher à une femme de façon trop durable. À présent, la simple pensée de vivre avec elle, de la voir constamment près de moi, me remplissait d'une excitation brûlante. En me remémorant la façon dont elle m'avait regardé, dont elle s'était donnée à moi, j'eus la certitude qu'elle était éprise de moi autant que je l'étais d'elle, et que ce genre de sentiment était fait pour durer. Je m'interrogeai : *Comment est-ce seulement possible de songer à planifier la disparition d'une femme que j'ai dans la peau ? C'est impensable. Mais qu'est-ce qui arrivera si Rosalie s'entiche d'un autre homme dans une semaine, ou un mois, et qu'elle dispose de moi comme d'une vieille chaussette ? J'aurai tout perdu à Montréal, et il ne me restera plus qu'à m'exiler et à vagabonder en grattant de la contrebasse pour survivre.*

Je me sentis soudain envahi par une peur paralysante. À présent que je l'avais rencontrée, je ne pouvais m'imaginer que je pus la perdre. Et pourtant, la situation n'était pas simple. Je savais pertinemment qu'on ne peut en aucun cas saboter un contrat ordonné par Big Joey sans signer son propre arrêt de mort. Comment m'en sortir ? Je m'interrogeai encore : *Est-ce possible de gagner du temps ? Non, il faut trouver une solution maintenant. Ça urge. Mais quelles options envisager ? Il n'est pas question de retourner à Montréal avec elle, ni sans elle. Je suis condamné à m'exiler, au moins pour un certain temps. Moi qui ne me suis jamais enfui de qui que ce soit, ou pour quelque motif que ce soit, je n'ai déjà plus le choix. Mais quelles pourraient être les conséquences, pour moi, d'une telle fuite ? Et pour Rosalie, aussi, puisque je dois maintenant me soucier de tout ce qu'il lui arrivera ?*

Rosalie avait déjà fui. Et elle était en possession d'une petite fortune qui lui permettrait de vivre convenablement pendant plusieurs années, au besoin, le temps de s'installer ailleurs et de trouver un boulot. Mais il fallait qu'elle disparaisse pour de bon, parce qu'un contrat avait été ordonné sur sa tête et qu'autrement elle allait sûrement y laisser sa peau. Dans mon cas, partir signifierait mettre fin à d'importantes rentrées de fonds, et me condamner à vivre dans un environnement dont j'ignorerais pratiquement tout. Je devrais m'adapter. En étais-je capable ?

La réponse à cette question se fit de plus en plus claire : *Avec Rosalie, sans doute que oui, pourvu qu'elle soit là, avec moi, et qu'elle ne se sauve pas. Et puis, moi aussi je dispose d'épargnes substantielles. Je serais en mesure de me débrouiller, sans dépendre d'elle financièrement. Il y a aussi la possibilité que je tire des revenus d'une contrebasse, quelque part, dans une boîte de jazz. Par ailleurs, la somme de nos capitaux dépasserait le million, cash, ce qui nous permettrait d'investir ensemble dans une affaire, si jamais nous en avions envie.*

Je continuai à retourner la situation dans tous les sens. Finalement, la seule solution que j'entrevoyais, pour sauver notre peau à tous les deux, c'était de simuler l'exécution du contrat et d'aider Rosalie à disparaître. Mais il fallait d'abord que je sache où elle avait planqué le cash. Il était possiblement dans sa chambre, mais plus probablement dans un coffre à la banque. Peut-être s'était-elle rendue à la banque aujourd'hui même. Il faudrait que je jette un coup d'œil à son sac lorsqu'elle irait sous la douche. Ensuite, quoi ? Remettre à Vito des photos du faux cadavre de Rosalie, et le numéro du coffre loué à la banque par Rosalie, si le cash s'y trouvait. Il serait toujours possible de retirer d'abord l'argent du coffre et de le planquer ailleurs. Mais il faudrait opérer le transfert avant la date de la fausse exécution, pour qu'il lui soit attribuable.

Le BlackBerry sonna. Je crus que Rosalie me rappelait pour me demander cette fois si je préférais le brun au jaune, mais l'appel venait de Vito Bruno. J'aurais pu croire qu'il m'avait entendu réfléchir, et qu'il se voyait obligé d'intervenir à ce moment précis, pour me rappeler à l'ordre.

– Qu'est-ce qui se passe, *man* ? Ça fait presque quatre jours que t'es là-bas, et tu donnes pas de nouvelles.

– Les affaires avancent, Vito, mais ça prend plus de temps que prévu. J'ai tout essayé. J'ai suivi la fille, j'ai fouillé sa chambre, j'ai même ouvert son coffre, mais j'ai rien trouvé, désespoir !

– Je sais bien qu'il fait beau soleil au Mexique, Réal, mais c'est pas une raison pour niaiser. Tu me dirais que tu couches avec elle que ça me surprendrait pas.

– Je veux juste faire les choses correctement. Le problème, c'est cette maudite histoire de cash. Je suis pas encore arrivé à savoir ou il est. Elle l'a probablement déposé dans un coffre à la banque.

– *Whatever !* Le boss commence à s'énerver pas mal.

– Écoute, Vito, si ça continue, je vais arrêter de jouer aux détectives et m'arranger pour la faire parler de gré ou de force, avant de la refroidir.

– Règle ça comme tu voudras, Réal, mais aboutis ! *Hit the bitch ! Capisce ?*

– Je comprends, Vito. Je te rappelle bientôt.

– Ça veut dire quoi, ça, bientôt ?

– Demain. Je pense que j'aurai terminé demain.

– Tu penses, ou t'en es sûr ?

– Ce sera réglé, Vito. Laisse-moi faire.

Lorsque Rosalie rentra de Cancun avec ses achats, elle paraissait très soucieuse. Je m'en aperçus aussitôt, et lui demandai si quelque chose n'allait pas. Elle répondit qu'elle était convaincue qu'un homme l'avait suivie, au centre-ville.

– Il se tenait à bonne distance, dit-elle, mais je l'ai surpris plusieurs fois à me regarder à la dérobée.

– De quoi il avait l'air ? Pourrais-tu le reconnaître si tu le revoyais ?

– Il avait une grosse moustache et une casquette. C'était un gars très musclé, au teint foncé.

– De quelle couleur était sa casquette ?

– Elle était vert olive, comme le reste de ses vêtements. Pourquoi me demandes-tu ça ?

– Je suis juste curieux, c'est tout. Écoute, Rosalie, il y a plein d'hommes au Mexique qui ont la peau bronzée, qui se trouvent beaux avec une moustache, et qui portent une casquette verte pour se protéger du soleil. En plus, tu sais aussi bien que moi qu'il y a plein d'hommes qui adorent regarder bouger tes fesses et te suivraient n'importe où.

Je m'efforçai de cacher mon appréhension, en songeant que sa description correspondait à celle de l'agent de sécurité qui m'avait précédé dans le Yellow Rock Bar. Sanchez faisait-il prendre Rosalie en filature, à la demande de Big Joey ? Et moi ? Peut-être qu'un homme de Sanchez me suivait moi aussi, et faisait rapport de mes agissements ? Nous aurait-on vus ensemble ? L'appel de Vito n'était peut-être pas le fruit du hasard, après tout.

Rosalie alla se doucher. J'en profitai pour examiner le contenu de son grand sac à main, qu'elle avait déposé sur sa table de nuit. À ma surprise, j'y trouvai d'abord un couteau de cuisine de bonne dimension. Puis une clef de coffre sur laquelle quatre chiffres étaient gravés, et qui était retenue au moyen d'une bande élastique à un anneau cousu dans la doublure du sac. Tout au fond, je vis une liasse de billets de banque américains. Elle était allée à la banque, et c'était donc là qu'était planqué le cash. Mais quelle banque ?

Je l'accompagnai sur la plage, où elle avait envie de se promener. Plus tard, je dînai avec elle au Coffee Shop de l'hôtel. Elle disait n'avoir qu'une petite faim, mais ne mangea presque rien, finalement, se contentant de grignoter des tortillas croustillantes au poulet. Le repas fut suivi d'un film plutôt comique à la télé, dans sa chambre, et je compris bientôt que Rosalie était préoccupée au point de ne pas suivre le fil de l'histoire. La trouvant excessivement tendue, je finis par lui demander ce qui n'allait pas.

– T'es stressée, Rosalie. C'est le type à la casquette qui te fait ça ?
– Si ce n'était que de lui, je m'en ferais pas plus qu'il le faut. Je devrais peut-être pas te dire ça, mais ma vie est en danger.
– Explique. J'ai besoin de savoir.

– Mon ancien patron, qui est un homme excessivement dangereux, me soupçonne de lui avoir joué dans les pattes, et il me menace. Je sais qu'il a le bras long, et que je risque d'être tabassée un jour ou l'autre, peut-être même tuée.

– T'as pas eu l'occasion de lui parler, pour le convaincre qu'il t'accusait à tort ?

– Je suis partie de Montréal en catastrophe, si tu veux tout savoir. J'avais peur. Et puisque je voulais pas crever de faim, j'ai pris de l'argent qui lui appartenait avant de partir. De l'argent sale.

– Dis-moi ce qui s'est passé.

Rosalie répéta pour l'essentiel ce que Vito m'avait raconté à la Casa, en présence de La Fouine. Un soldat était venu la trouver au restaurant La Cucina da Mamma, qu'elle gérait pour le compte de Big Joey Scalpino, le chef de la mafia montréalaise. Il voulait la prévenir que le patron la soupçonnait de refiler des informations confidentielles à une bande de motards criminalisés. Le jeune avait ajouté que le patron voulait la forcer à parler. Ce soir-là, ignorant ce qui avait pu motiver pareille méfiance mais bien décidée à ne pas prendre le risque de perdre son emploi, sinon sa santé ou même sa vie, elle avait décidé de disparaître. Elle s'était emparée de plusieurs liasses de cash dans le coffre du restaurant, pour ne pas se retrouver complètement fauchée. Et maintenant, elle était obsédée par la crainte d'être victime d'un homme de main de Big Joey.

– Je sens que ce Big Joey et toi, ça n'allait pas depuis un bon bout de temps, déjà. Tu le détestes depuis belle lurette. Pourquoi ?

– C'est une longue histoire. Je t'expliquerai ça, un de ces jours.

– Quoiqu'il en soit, Rosalie, je jure que t'as rien à craindre tant que je serai là.

Elle se blottit contre moi, et finit par s'endormir sur le grand divan, abandonnée à mes caresses. Le film était terminé, et j'entrepris un long examen de conscience au terme duquel je décidai que j'allais tout lui avouer le lendemain matin au sujet de ma présence au Mexique. Il fallait que nous décampions tous les deux, et ça urgeait. Est-ce qu'elle allait encore vouloir de moi lorsque je lui aurais tout raconté ? Si la réponse était non, et que je ne parvenais pas à la raisonner, il faudrait que je réévalue mes options. Mais je savais bien que ce serait oui, en dépit du sentiment d'horreur que provoquerait chez elle l'idée d'avoir été depuis trois jours l'amante d'un type venu la liquider pour le compte de son ancien patron. Mon sixième sens me disait que nous étions faits pour nous entendre.

Je peaufinai mon plan, et lorsque j'eus l'intime conviction qu'il résistait bien à l'examen, je réveillai Rosalie et la transportai jusqu'au grand lit, où elle se rendormit bientôt, son corps soudé au mien.

5

Le lendemain, au terme d'une nuit de sommeil dont je fus surpris de constater qu'elle m'avait fait le plus grand bien, un garçon vint nous servir le petit-déjeuner sur le balcon. Rosalie était beaucoup plus détendue que la veille, et je m'en voulus de devoir lui faire vivre un nouveau cauchemar.

À la fin du repas, elle pénétra dans la chambre. Je la suivis, et fis glisser la grande porte derrière moi.

– Pourquoi fermes-tu la porte ? demanda-t-elle.

– Rosalie, il faut que je te parle de quelque chose de grave, qui te concerne. Mais qui est réglé, parce que j'ai décidé que je t'aimais trop. Et maintenant, t'as plus à t'en faire. Peut-être que tu vas me haïr, mais tu dois savoir, parce qu'on a des choses à décider avant qu'on se fasse faire mal.

– Respire par le nez, Réal. C'est quoi, le problème ?

– J'ai été recruté par un lieutenant de Big Joey. Il voulait que je le débarrasse de toi.

– Qu'est-ce que tu veux dire ?

– Eh bien, Big Joey voulait me payer pour que je te fasse disparaître. Mais c'est quelque chose que je serais incapable de faire, et...

D'abord muette de stupeur, puis défaillante, Rosalie me fixa d'un air incrédule. Elle finit par se ressaisir quelque peu, et lança, avec une hargne mêlée de déception :

– Salaud ! Salaud !

Éclatant en sanglots, elle s'empara vivement de son sac, y plongea une main tremblante, et en retira le couteau de cuisine qu'elle pointa aussitôt dans ma direction. Le visage défait, elle alla se blottir dans un coin de la chambre et me dévisagea, sans émettre le moindre son.

Je reculai à mon tour, comme pour lui signifier que je ne lui voulais aucun mal, et me cantonnai dans le coin opposé de la pièce. Elle finit par se calmer quelque peu, et j'entrepris de lui faire comprendre la gravité de la situation.

– Rosalie, tu dois me croire. Je suis amoureux de toi, comme un fou. Je serais incapable de te faire le moindre mal, et t'as absolument rien à craindre. Ma vie est maintenant en danger à cause de ça, et une fois que tu seras en sécurité, il va falloir que je trouve une façon de m'en sortir, moi aussi. Nos deux vies sont en danger. Dans ton cas, c'est pas à cause de moi. Je ne te veux aucun mal, bien au contraire.

Rosalie était visiblement perplexe, ce qui m'encouragea.

– Pourquoi je te croirais ? finit-elle par demander, d'une voix chargée d'appréhension.

– Écoute, Rosalie, on est tous les deux des cibles faciles, ici. On est peut-être tous les deux surveillés en ce moment par des hommes de Porfirio Sanchez, un copain de Big Joey qui est le patron de la mafia sur la Riviera. C'est lui qui m'a refilé une arme quand je suis arrivé à Cancun, et je sais qu'il est en contact avec Montréal. Toi, t'es peut-être surveillée pour ce que tu m'as raconté hier soir, et moi, parce que je suis incapable de faire ce que Big Joey a commandé, et qu'ils vont le savoir très bientôt s'ils ne le savent pas déjà. Quand le chef ordonne de faire disparaître quelqu'un, l'ordre doit être exécuté coûte que coûte, même si ça prend des semaines, des mois ou même des années. Et si le contrat est ouvert, n'importe quel membre de la famille peut remplir ce contrat-là. Même qu'il a le devoir de le faire s'il trouve la cible. Tu te rends compte de ce que ça signifie ? Tu ne pourras jamais t'en sortir, à moins de t'en aller loin d'ici et de plus jamais te montrer.

Rosalie continuait de m'observer, toujours blottie dans son coin.

– Ils vont vouloir nous éliminer tous les deux, peut-être en envoyant un ou deux gars, continuai-je. Celui qui t'a repérée ici la semaine dernière pourrait revenir et nous trouver si on n'est pas partis, ou si on n'est pas bien cachés. Je te le répète : on a avantage à s'entraider. Je suis capable de bien te protéger.

– Fais-moi rire, me protéger ! T'es venu pour me tuer !

– J'ai jamais été aussi sérieux, Rosalie. En faisant équipe, on pourra sauver notre peau à tous les deux. Autrement, t'es faite ! Moi, ils peuvent m'éliminer en premier, parce que j'ai décidé de les envoyer promener. Mais avant de te liquider, toi, ils vont chercher à savoir où est l'argent, quitte à te torturer. Tu dois le récupérer, et il faut changer de parc.

– C'est ça ! Tu veux maintenant que je te dise où est l'argent ? C'est là que tu voulais en venir, hein ? Et puis après, tu me descends ?

– J'en veux pas, de ton argent, mais toi tu vas en avoir besoin si tu veux avoir ton restaurant et vivre comme du monde. J'espère, au moins, que t'en as assez pour ça.

– Tu le sauras pas. Ton arme, elle est où ?

– Dans mon coffre de sécurité, avec une boîte de balles et deux chargeurs.

– Tu me donnes le pistolet et toutes les balles, y compris celles que t'as mises dans les chargeurs, et je remets mon couteau dans mon sac.

– Pas de problème. Mais si je fais ça, il faudra jamais qu'on se quitte, parce qu'il est presque certain que je devrai utiliser le pistolet, un jour, pour nous défendre.

– Qu'est-ce qui me dit que je peux te faire confiance ?

– T'as pas le choix, Rosalie. Et je pense qu'on se connaît quand même assez, maintenant, pour se faire confiance.

Elle parut se calmer. Une larme perla sur sa joue, et elle l'essuya aussitôt du revers de la main. J'aurais voulu la serrer dans mes bras, la couvrir de baisers et la consoler, mais la vue du couteau de cuisine me fit comprendre que cela n'était pas possible. Du moins, pas encore. Elle tira une chaise et s'y laissa choir, tout en déposant le couteau sur une petite table, à portée de main. Puis elle m'observa longuement, sans dire un mot, et finit par demander :

– Qu'est-ce que tu proposes qu'on fasse ?

– J'ai un plan, que j'ai élaboré hier soir, et qui m'avait l'air de se tenir encore ce matin, quand je me suis réveillé. Tout d'abord, il faut que t'ailles retirer l'argent de la banque, ou que tu le planques dans une autre banque, où tu veux. Si tu me demandes mon avis, je te dirai que tu devrais l'apporter avec toi, parce qu'il va falloir quitter Cancun et ne plus y revenir.

– Qu'est-ce qui me dit que tu vas pas me voler, puis me tuer et rentrer fièrement à Montréal une fois ta mission accomplie ? demanda-t-elle, en affichant un mauvais sourire.

– Parce que je veux être avec toi pendant très, très longtemps. Tu peux prendre le pistolet et les balles si tu y tiens. Comme ça, tu pourras te protéger de moi, et protéger ton pognon, en plus. T'auras aussi le couteau, au cas où tu saurais pas comment te servir du pistolet. Veux-tu que je te donne ma ceinture, aussi ?

– Le pistolet suffira. Où veux-tu aller, en partant d'ici ?

– On loue une voiture, on quitte discrètement l'hôtel avec tous nos bagages, et on roule en direction sud. On loue un petit bungalow pour une semaine du côté de Tulum, sous un nom d'emprunt et en payant cash. Il est possible qu'un homme de Sanchez nous suive à partir d'ici ou nous retrouve là-bas, pour savoir ce qui se passe. Alors, on gare la voiture devant le bungalow, et on la laisse là, comme si on n'en avait pas besoin pour explorer le coin. Mais je loue une seconde voiture, et au petit matin, on continue discrètement sur Chetumal. Là, on trouve quelque chose dans un coin perdu, sous un nouveau nom d'emprunt.

– Je ne connais pas Chetumal. Y es-tu déjà allé, au moins ?

– Une fois, oui. C'est une vraie ville, située à la frontière avec le Belize. C'est possible d'y vivre dans l'anonymat, à certaines conditions. Le samedi, les habitants du Belize y envahissent les marchés, parce que la vie y est moins chère, ce qui fait qu'il y a toujours un va-et-vient important à la frontière.

– Et qu'est-ce que tu veux fabriquer à Chetumal ?

– Tu te planques, vêtue de jeans et de blouses amples, mal coiffée, et les yeux cachés derrière des lunettes de soleil. Et tu marches comme si t'avais mal aux jambes. Il faut qu'on te remarque le moins possible. Et tu m'attends pendant que je fais un saut de quarante-huit heures à Montréal.

– Montréal ? T'es fou, ou quoi ?

– J'ai un plan qui va permettre d'assurer définitivement ta sécurité. Je vais t'expliquer en route.

– Et les voitures ? Il va bien falloir les rendre ?

– Une fois que tu seras en sécurité à Chetumal, avec ton argent et ton arsenal, je retournerai à Tulum pour y rendre la seconde voiture, puis je continuerai sur l'aéroport de Cancun, pour y laisser la première voiture et prendre l'avion.

– Tu disais que ta vie à toi aussi serait en danger, et qu'il faudrait toi aussi que tu quittes Cancun. Comment il se fait que, soudainement, c'est pas dangereux pour toi d'y être, et même d'y prendre l'avion ?

– Si jamais on me voit revenir seul à Cancun, on croira probablement que je t'ai éliminée, quelque part sur la Riviera, et qu'il est normal que j'aille faire rapport à Montréal. Ça, c'est pour l'aller. Au retour, je mettrai plutôt le cap sur Belize City, et je viendrai te rejoindre à Chetumal. Ensuite, on traversera tous les deux au Belize.

– On pourrait pas aller ailleurs que dans un trou comme le Belize ?

– Il faudra passer la frontière discrètement, en limitant au maximum le risque de tomber sur un douanier ou un agent de voyage qui a notre photo, ou lit nos noms, et qui travaille pour Sanchez. Une fois au Belize, on avisera pour la suite.

Rosalie m'avait écouté attentivement tandis que j'expliquais ce que j'avais en tête, m'aidant à préciser certains éléments qui lui paraissaient receler des risques mal calculés. Elle parut satisfaite de ma proposition, sans pour autant me manifester une confiance aveugle.

Le couteau à la main, elle me suivit jusqu'à ma chambre pour y prendre possession du pistolet, des balles, du second chargeur et même du silencieux. Elle retourna immédiatement à sa chambre, pour y déposer la quincaillerie dans son propre coffre. Tandis que je préparais mes bagages, elle frappa à ma porte.

– Qu'est-ce que tu vas faire du pistolet ? Il va bien falloir que tu le rendes au type qui te l'a prêté, non ?

– Pas question. Je vais disparaître, comme toi. Et si jamais ses gars nous inquiètent, on aura ce qu'il faut pour se défendre. Gracieuseté du Mexicain lui-même !

– Tu penses qu'ils vont te laisser faire ? C'est pas clair, tout ça.

La sonnerie du BlackBerry se fit entendre. Je demandai à Rosalie de refermer la porte de ma chambre et d'attendre à l'intérieur, le temps que je m'explique avec le gars de Big Joey. J'étais convaincu que c'était lui qui me relançait pour la seconde fois. Elle parut perplexe.

– Réal, t'es en train de me compliquer la vie, hurla Vito. *You're a fucking pain, man !* Le chef m'avait demandé de régler le problème, et je t'ai fait confiance. Mais là, il parle d'envoyer Alfonso pour faire la job à ta place. Tu sais ce que ça veut dire ? Ça veut dire que j'ai l'air d'un loser ! J'aime pas avoir l'air d'un loser, Réal. *Capisce ?*

– O.K., O.K., donne-moi vingt-quatre heures, puis tout va être réglé.

– Tu m'appelles aussitôt que c'est fait !

– D'accord, Vito. *Loosen up !* comme tu dis. Ça va être réglé aujourd'hui.

J'expliquai à Rosalie que Big Joey était contrarié parce que je n'avais pas encore exécuté le contrat, et parlait d'envoyer Alfonso pour qu'il fasse le travail à ma place.

– Tu sais qui c'est, Alfonso ? C'est le *picciotto* des *picciotti*, le soldat des soldats de Big Joey. Il se rapporte directement à lui. Et c'est une brute ! On a intérêt à bouger, au plus sacrant !

Je la priai de ne pas annuler la location de son coffre de sécurité à la banque, et d'en conserver la clef, parce que j'en aurais besoin à Montréal.

Je lui suggérai ensuite de laisser un billet de un dollar dans le coffre, pour narguer celui qui s'arrangerait, éventuellement, pour le faire ouvrir.

Rosalie demanda une voiture de l'hôtel, avec chauffeur, et se rendit à la banque, tandis que je louais moi-même une Toyota de couleur blanche. Puisque la moitié des véhicules roulant sur les routes mexicaines sont des petites berlines de conception japonaise et de couleur blanche, toute filature s'en trouverait compliquée. Je me procurai ensuite à l'intention de Rosalie, en payant cash et sans m'identifier, un portable Ericsson T230 équipé d'une carte SIM – un modèle GSM fonctionnant presque partout.

Rosalie fut de retour en moins d'une heure, satisfaite que tout se soit bien passé à la banque et sur le chemin du retour, en dépit du fait qu'elle se trimbalait avec un magot. Elle alla boucler ses valises, puis rendit ses clefs à la réception de l'hôtel. Je fis de même. Je lançai ensuite la Toyota sur la MEX 307, qui menait à Chetumal.

– As-tu pris tout ce qu'il y avait dans ton coffre ? demandai-je.

– T'inquiète pas. Fonce !

Je roulai pendant une heure dans un silence presque ininterrompu, jusqu'à Playa del Carmen, un paisible village d'autrefois transformé en moins de vingt ans en une importante station balnéaire. Au cours de l'heure qui suivit, j'expliquai à Rosalie ce que j'avais en tête pour la mise en scène qui devait me permettre de prouver à Big Joey, photos à l'appui, qu'il pouvait dormir en paix parce que son ennemie jurée n'était plus de ce monde. Elle m'écouta, sans paraître manifester le moindre intérêt pour l'image ultime que je proposais de laisser d'elle à la postérité. Sa main était toujours refermée sur le couteau. J'avais hâte d'arriver.

À Tulum, je louai au nom de Léo Maynard un bungalow situé dans un petit complexe géré par une famille du coin, et Rosalie régla une semaine d'avance, cash, sans exiger le moindre reçu. Puis je trouvai à louer une Honda de couleur bleu marine, pour une durée de quarante-huit heures.

Le dîner dans un restaurant du voisinage fut sommaire, et notre conversation tourna autour de quelques banalités. Je ne m'en plaignis pas, redoutant plutôt le moment où Rosalie déciderait de l'endroit où je passerais la nuit. Ce moment survint alors qu'on m'apportait l'addition. Elle leva lentement les yeux vers moi et déclara, tout simplement, qu'elle préférait ne pas partager le grand lit « jusqu'à nouvel ordre », et que le divan situé dans la salle de séjour paraissait tout de même assez convenable. Mon silence lui signifia que j'allais me conformer, stoïquement, à ses vœux.

L'inconfort dans lequel je me retrouvai cette nuit-là, recroquevillé sur un sofa mollet et beaucoup trop court, m'empêcha de plonger dans le sommeil réparateur dont j'aurais pourtant eu bien besoin. Je me levai, excédé, bien avant l'aube, et ne tardai pas à réveiller Rosalie pour la prier de se préparer en vitesse à quitter Tulum. J'allai discrètement chercher la Honda, garée la veille à deux cents mètres de là, et au retour je chargeai rapidement les bagages. Aucune voiture suspecte n'étant en vue, je rejoignis l'autoroute et fonçai en direction de Chetumal, distante de deux cent cinquante kilomètres.

Au terme de la première des trois heures de route, qui s'écoula comme la veille dans un silence relatif, Rosalie s'endormit. Elle avait rangé le couteau dans son sac, et tout indiquait qu'elle s'était enfin résolue à me faire confiance. Je songeai au pistolet et au cash qu'elle avait enfouis dans le grand sac posé à ses pieds, et je dus reconnaître que la somme de tous les risques entourant sa personne n'était pas négligeable. Rosalie n'était pas seulement délurée, elle savait faire preuve de beaucoup de sang-froid.

À Chetumal, un service d'information touristique nous orienta vers un petit complexe regroupant une vingtaine de bungalows pas trop minables, à proximité de l'Université. Rosalie choisit le 15, qui lui paraissait être le mieux situé stratégiquement, tout en ayant l'avantage de disposer d'une cuisinette fonctionnelle, de larges fenêtres donnant sur la mer, et de deux issues dont l'une faisait face à la rue alors que l'autre donnait sur un petit jardin. La location fut enregistrée cette fois au nom de Sammy Jackson, et, comme elle l'avait fait à Tulum, Rosalie versa d'avance le loyer d'une semaine, cash, sans exiger un reçu. Je l'emmenai ensuite faire les courses.

Dans une pharmacie voisine, elle se procura un attirail de produits de maquillage bon marché, pendant que je raflais dans un bazar une petite glacière, qui me paraissait être le contenant tout désigné pour détourner l'attention d'un douanier zélé. J'ajoutai trois valises, beaucoup plus petites que celles que nous avions trimbalées depuis Cancun et qui n'allaient certainement pas être acceptées à bord d'un Cessna de Tropic Air. Avec Rosalie, je me rendis ensuite dans un supermarché pour y glaner quelques aliments qui lui permettraient de limiter, sinon d'éliminer totalement, ses sorties pendant mon absence. J'y dénichai des biscuits importés, présentés dans une boîte en fer-blanc illustrée d'une image du Père Noël aux commandes de son traîneau enneigé. Je songeai que cette boîte, presque identique à celle dans laquelle ma grand-mère maternelle avait l'habitude de conserver mes biscuits préférés, constituerait un contenant fort pratique pour dissimuler mon petit arsenal lorsque nous franchirions la frontière par la route. Sur le trottoir longeant le supermarché, une vieille marchande nous vendit une poule que je voulais particulièrement sanguine.

De retour au bungalow, je demandai d'abord à Rosalie de me remettre la clef du coffre qu'elle avait vidé de son contenu, à Cancun. Puis la mise en scène débuta. Je la maquillai affreusement, sans lésiner sur le mauve, et la barbouillai d'un peu de ketchup et de mélasse, en simulant le résultat d'un flingage qui aurait été précédé de très mauvais traitements. Suivant mes conseils, Rosalie adopta une pose que je jugeai parfaitement convaincante. Puis je me dirigeai vers la douche et y saignai la poule, dont le sang remplit bientôt un petit chaudron. J'en arrosai savamment le front et le cou de ma bien-aimée. Une marre se dessina bientôt sur le sol. Satisfait du résultat, je pris une douzaine de photos.

Lorsque Rosalie émergea de la douche, débarrassée de toutes les saletés dont je l'avais enduite, je lui montrai les photos. Elle étouffa un cri.

– C'est ça que tu devais me faire, pour vrai ? finit-elle par demander.

– Tu sais bien que non, Rosalie, répondis-je doucement. Jamais je n'aurais été capable de faire ça à une femme, ni même à un homme. Il fallait seulement que t'aies l'air de quelqu'un qui venait de subir la vengeance du terrible Joseph Scalpino. Maintenant, il va te foutre la paix. En tout cas, j'espère que ça va marcher, parce qu'autrement, on risque tous les deux de se retrouver dans de sales draps.

Elle sanglotait. Je la serrai enfin dans mes bras, et nous restâmes longtemps, très longtemps, comme ça, sans dire un mot. Puis je l'embrassai, doucement. Elle accepta le baiser, fixa longuement son regard sur le mien, et me le rendit, mais sans élan. Il y avait dans son geste quelque chose d'incertain, comme s'il s'était agi d'une proposition de cessez-le-feu. Puis elle me demanda de lui faire l'amour, parce qu'elle avait besoin plus que jamais de tendresse.

Le soir venu, je communiquai avec Vito pour annoncer que le contrat avait été honoré, et que je serais de retour à Montréal dès le lendemain, avec des preuves. Je me préparai ensuite à reprendre la route en direction de Tulum, en conseillant vivement à Rosalie d'éviter de se balader en ville. Je lui tendis un bout de papier sur lequel figuraient quelques numéros de téléphone.

– Je t'appellerai sur ton portable, au besoin, ou tu m'appelleras sur le mien. Mais il faudra limiter au maximum le nombre de communications et leur durée. Et tu dois tout de suite savoir que si je ne réponds pas, c'est probablement parce je serai avec Big Joey ou Vito, peut-être même les deux.

– Et si jamais tu ne revenais pas ?

– T'inquiète pas, je reviendrai. Mais si on n'arrivait plus à se parler, disons dans quatre ou cinq jours, ça signifiera qu'il m'est arrivé quelque chose de grave. Dans ce cas, débarrasse-toi du pistolet, jette ton couteau, appelle le numéro du service de jet de location qui figure sur la liste que je t'ai remise, et fais des arrangements aussi discrets que possible pour te rendre de Chetumal aux îles Cayman. Ensuite, tu seras libre d'aller où tu veux et de faire ce que tu veux.

– T'as pensé à tout, on dirait, répondit Rosalie.

– En tout cas, si jamais on ne devait plus se revoir, tâche de garder de moi le souvenir de quelqu'un qui t'aimait au point de décider, en moins de deux jours, de changer de vie pour être avec toi. Et ouvre ton restaurant. Mais loin d'ici ! Fais attention à toi ! Je t'appelle demain.

Je l'embrassai longuement, et mis le cap sur Cancun, abandonnant Rosalie dans cette ville qu'elle ne connaissait pas, avec presque un million de dollars en cash, un pistolet, et un couteau de cuisine capable de donner la trouille au plus dur d'entre les durs.

Le lendemain matin, après une trop brève nuit de sommeil et un échange de voitures à Tulum, j'atteignis l'aéroport international de Cancun. Je rendis la Toyota et pénétrai dans l'aérogare. J'avais déjà pris soin de communiquer avec American Airlines pour réserver des places sur des vols à destination de Miami et Montréal. Je me fis enregistrer et, avant de pénétrer dans la salle des départs, j'allai louer un casier dans lequel je ne déposai rien d'autre qu'un dollar américain. J'avais seulement besoin de la clef du casier, que je rangeai dans mon portefeuille, tout à côté de celle du coffre de Rosalie. Je me mêlai ensuite à un bruyant groupe de touristes américains venus comme moi passer quelques jours à Cancun pour y trouver un peu d'exotisme.

6

Tandis que l'avion décrivait une courbe au-dessus de Montréal, je remarquai le smog qui recouvrait tout le centre-ville. J'avais deviné que ce serait moche de retrouver aussi rapidement l'automne, mais pas à ce point. Je m'interrogeais : *Comment peut-on accepter d'écouler toute une vie dans un environnement qui nous oblige à nous emmitoufler sept mois par année, à nous empoisonner en respirant les saletés émises par nos usines et nos déchets, et à dépenser des fortunes pour nous chauffer, alors que les habitants d'une foule de pays pauvres peuvent se promener en sandales et se faire bronzer à l'année, en respirant l'air du grand large ou des montagnes ? Tout compte fait, c'est quoi, la richesse ?*

La peur sournoise qui ne m'avait pas quitté pendant le voyage, à l'idée que mes photos pourraient manquer de crédibilité, s'était quelque peu estompée. Et voilà que cette peur avait été remplacée par un questionnement philosophique auquel je n'étais pas en mesure de répondre de façon cohérente. Tout ce dont j'étais sûr, pour le moment, c'était que j'aimais Rosalie, que Rosalie m'aimait malgré tout, que nous disposions ensemble de ressources plutôt substantielles à défaut d'être considérables, et que la seule façon pour nous de partager nos vies serait de le faire loin de Montréal, de préférence loin du froid et des saletés qui avaient jusque-là empoisonné nos existences. Je me surpris à sourire enfin, et éprouvai le besoin de boire un verre qui m'aiderait à tout oublier sauf la douce image de Rosalie. Mais le panneau lumineux, au-dessus de ma tête, m'invita à attacher ma ceinture de sûreté. Sans avoir besoin de poser la question, je sus que l'hôtesse ne m'apporterait plus à boire, surtout qu'elle m'avait déjà servi au cours du voyage, et chaque fois avec un peu moins d'empressement, trois bières, une bonne dizaine de minuscules sachets de bretzels sans sel ni cumin, et une lavasse tenant lieu de café.

Arrivé chez moi, je vérifiai que personne ne s'y était introduit par effraction, reprogrammai le système de chauffage pour chasser l'humidité qui me transperçait déjà, et parcourus rapidement le courrier livré depuis une semaine. Puis je logeai quelques appels. Rosalie n'avait rien à déclarer, sinon qu'elle était en manque de tequila et que le bungalow de Chetumal n'avait rien pour rivaliser avec le Grand Caribe Real. Paulo, mon ami de toujours, souffrait d'un mal de dents et rêvait de vacances en République dominicaine. Ma mère venait d'être élue au conseil municipal de Saint-Tite, et se promettait de sabrer dans les privilèges consentis aux motoneigistes par l'administration précédente. Je terminai avec mon client.

– Vito, je suis à Montréal, annonçai-je. Il faut que je te voie demain matin. J'ai des photos pour le chef, et je voudrais te les montrer. Je suis certain que tu vas être content du résultat. Tu dois savoir aussi que j'ai hâte de toucher la deuxième moitié de mes honoraires. Ma banque vient de me rappeler que j'ai des échéances à respecter.

– Je suis bien content d'apprendre que t'as décidé d'accoucher. *It was about time* ! lança-t-il, aussi stressé ce jour-là qu'il l'avait été lors de nos deux conversations précédentes. T'es où, là ?

– À mon appartement. Pourquoi ?

– Je vais te rappeler dans dix minutes. Sauve-toi pas !

– Même si je me sauvais, Vito, mon portable serait encore dans ma poche. Tu peux relaxer, je vais te répondre.

J'entendis un clic, et la ligne fut coupée. J'avais bu un verre de Chianti et je me préparais à pénétrer dans la douche lorsque mon BlackBerry sonna. C'était encore Vito.

– Réal, il est trois heures. Il faut que tu sois à la Casa dans quatre-vingt-dix minutes. Je vais t'attendre là avec Big Joey. Il va y avoir aussi Salvatore. Apporte tout ce que t'as à apporter, et sois à temps ! *Capisce ?*

– Vito, pourquoi il faut toujours que tu me serves ton eucharistie de *Capisce* ? Me prends-tu pour un innocent ? Désespoir !

Encore une fois, j'entendis le clic, et la ligne fut coupée. Je pénétrai dans la douche en maugréant contre ce mafioso mal éduqué, pour qui je n'avais vraiment plus d'estime et qui commençait à me tomber dangereusement sur les nerfs. Je me demandai pourquoi Big Joey avait cru nécessaire de me rencontrer en se faisant accompagner non seulement de Vito, mais aussi de Salvatore Rastelli, son *consigliere*. Je décidai que je me pointerais à la Casa bien avant le moment fixé pour le rendez-vous, question de protéger mes arrières. Il n'y avait pas de temps à perdre.

Petit et rondouillard, Joseph Scalpino avait été assez étrangement doté par la nature d'un front fuyant, d'un nez camus et d'une mâchoire prognathe qui lui donnaient une allure propre à inquiéter ses proches tout autant que ceux qui ignoraient à qui ils avaient affaire. Je songeai que, s'il est vrai que l'homme descend du singe, Big Joey n'avait certainement pas eu le temps d'atteindre le bas de l'échelle. Vêtu d'une veste en tweed gris, le col de sa chemise brune entrouvert, il portait devant lui une panse énorme comme s'il avait l'habitude de s'envoyer chaque jour une quantité industrielle de gâteaux siciliens arrosés de vin de Marsala. Dès l'instant où je l'aperçus, j'eus une pensée pour Pénélope, qui m'avait confié avoir un penchant pour les hommes grands et athlétiques. Et je compris qu'il était lui aussi d'une humeur massacrante, ce jour-là.

Lorsque Big Joey porta les yeux sur moi, j'eus l'intime conviction qu'il me détestait, et que la rencontre allait être brève. Installé à ses côtés, un gros cigare fourré entre ses lèvres sinueuses, il y avait un homme dans la cinquantaine, à l'air méprisant, avec une fine moustache, une trop large cravate à pois et un complet trois pièces comme on n'en voyait plus depuis des années. C'était Salvatore Rastelli, le *consigliere*. Aucun des deux hommes ne daigna me tendre la main, ou même me saluer.

M'assoyant aux côtés de Vito dans la petite salle dont il venait de refermer la porte, je m'empressai d'extraire d'une enveloppe quelques photos que j'avais prises de Rosalie, au terme de la séance de maquillage, et que j'avais eu le temps d'imprimer chez moi à mon retour.

– J'ai pris plusieurs photos, dis-je, mais j'ai conservé seulement les meilleures, pour vous les montrer. Je l'ai atteinte dans le front et dans un poumon, et elle est morte au bout de son sang, en fixant le plafond, la bouche ouverte et sanguinolente, comme si elle avait jamais pu se douter que je lui ferais ça. Personne m'a vu. Elle a été refroidie dans les règles.

Les trois hommes examinèrent les photos. Big Joey émit un petit sifflement.

– Ces photos me font plaisir, dit-il. C'est bien tant pis pour elle. C'était quand même une belle fille ! Je sais pas ce qu'il lui a pris de partir comme ça, en me volant. Et le cash, où est-ce qu'il est passé ? ajouta-t-il, en me regardant droit dans les yeux, d'un regard inquisiteur.

– J'ai jamais pu tirer quoi que ce soit de cette enfant de chienne, ni mettre la main sur l'argent. Tout ce que j'ai pu trouver, c'est qu'il a été déposé dans un coffre à une succursale de la Scotiabank située au centre-ville à Cancun. J'ai récupéré la clef du coffre en fouillant dans ses affaires. Je suppose que la location a été faite à son nom. Votre ami Sanchez sera sûrement en mesure de faire vérifier ça.

Je déposai la clef sur la table, à l'intention de Big Joey. Contrarié de ne pas être déjà entré en possession des fonds qui lui avaient été dérobés, celui-ci se mit soudain en rogne et me lança un regard mauvais, affirmant qu'il allait faire ce qu'il fallait pour que Sanchez vérifie l'utilité de la clef. Il ajouta que si je mentais, je regretterais d'être né. Je crus nécessaire de réagir.

– Pourquoi je mentirais ? J'ai fait tout ce que j'ai pu, et j'ai quand même rapporté la clef du coffre. Vito m'avait dit qu'il voulait savoir où était l'argent, pas que je devais le rapporter. Eh bien, je pense que l'argent est dans le coffre qu'on peut ouvrir avec cette clef. Qu'est-ce que je peux faire de plus ? Je suis pas un cambrioleur de coffre, moi, c'est pas ma spécialité.

– Je sais bien ce qu'elle est, ta spécialité, Pretty Boy, lança Big Joey, affichant un rictus qui en disait long quant à ses sentiments à mon égard. Bon, je dois m'en aller. Reviens ici demain à midi, et on va tirer tout ça au clair. Mais avant de partir, je veux savoir ce que t'as fait du corps.

– C'est très simple. J'ai frappé la fille dans un bungalow, à Tulum. C'est à deux heures de route de Cancun. J'ai mis le corps dans le coffre d'une voiture que j'avais louée, sans rien salir, et je l'ai largué à onze heures du soir dans une bouche d'égout près de l'autoroute, à un endroit où personne va se douter de quoi que ce soit tant que sa face se sera pas décomposée.

– Et le morceau que mon ami Sanchez t'avait prêté ? Je viens de lui parler, et il dit que t'as foutu le camp sans lui rendre ses affaires.

– Quand je suis parti de Tulum, j'avais tous mes bagages avec moi et je me suis rendu directement à l'aéroport de Cancun, pour prendre mon vol. J'avais pas le temps d'aller dire au revoir à Sanchez. Alors j'ai pris le morceau et les accessoires, et j'ai enfermé tout ça dans un casier. Il va trouver qu'il manque pas mal de balles, parce que j'ai testé le pistolet dans un champ avant de m'en servir. J'ai bien fait, parce que ça tirait tout croche, cette pétoire-là.

– La clef du casier, t'as fait quoi avec ?

– Je l'ai mise dans ma poche. Tenez ! ajoutai-je, en lui rendant la petite clef que j'avais pris soin de me procurer avant de quitter l'aéroport. Vous pourrez la lui envoyer en même temps que l'autre.

En retournant chez moi, je m'étonnai d'avoir pu raconter autant de salades à Big Joey sans qu'il ait l'air de se douter de quoi que ce soit. Je rigolai intérieurement en songeant qu'il faudrait compter au moins deux jours avant que l'une au l'autre des deux clefs ne puisse être utilisée par un homme de Sanchez, et que je serais alors introuvable. Mais l'attitude de Big Joey n'était tout de même pas normale. J'avais fait le boulot, comme en témoignaient les photos, je lui avais remis la clef du coffre qui contenait son cash, et même la clef du casier où se trouvait la quincaillerie du Mexicain. Qu'espérait-il de plus ? Où était le problème ?

La réponse à cette question me fut servie le soir même, vers dix-neuf heures, lorsque Pénélope m'appela sur mon BlackBerry pour me prévenir que son époux légitime savait depuis deux jours qu'elle et moi, on se connaissait trop bien. Soudain, tout devint limpide. La nervosité de Vito, qui savait risquer gros pour avoir fait appel à mes services. L'humeur massacrante et les sarcasmes de Big Joey. L'attitude méprisante du *consigliere*. Je devinai immédiatement qu'il n'y aurait pas de rencontre le lendemain midi. Je devinai aussi que Pénélope payait très cher son libertinage.

– Je pensais à toi cet après-midi, dis-je.

– Moi aussi, Réal. J'ai pensé beaucoup à toi depuis la dernière fois. C'est pour ça qu'il fallait que je te parle.

– Qu'est-ce qu'il t'a fait ? Il t'a battue ?

– Il m'a poussée contre le mur, et puis il m'a frappée. Il m'a appelée *putana* et il a insulté ma famille en me traitant de fille de bâtard. Mon père était un boss de la 'Ndrangheta, et ils ont jamais réussi à s'entendre.

– Je suis désolé que tu te retrouves dans cette situation-là, Penny. T'avais raison. On a trop joué avec le feu.

– Je vais m'en sortir, casse-toi pas la tête avec ça. Mais toi, il va falloir que tu sois sur tes gardes. J'ai appris tout à fait par miracle qu'Alfonso a reçu un contrat sur ta tête, et que ça doit être exécuté d'ici à demain matin. Je voudrais pas qu'il t'arrive quelque chose. Je suis certaine que tu vas savoir quoi faire pour te protéger. Comme ça, tu pourras continuer à garder un bon souvenir de nous deux.

– T'es vraiment une femme en or, Penny. T'es en train de me sauver la vie, et je ne l'oublierai jamais. Es-tu certaine que personne ne va être au courant de ton appel ?

– T'en fais pas. Je suis dans une cabine téléphonique, tout au fond d'un grand magasin de lingerie fine. Et je suis seule. Mais il faut que je rentre au plus vite à la maison. Je t'embrasse, Réal.

– Moi aussi, Penny, je t'embrasse. Fais attention à toi.

Ainsi, le petit Alfonso avait reçu le mandat d'écourter mes jours avant l'aube. Puisqu'il était dix-neuf heures, il devait donc passer à l'action dans moins de dix heures. Je réfléchis. Normalement, quand on dispose de peu de temps pour abattre quelqu'un, on cherche à agir là où il est le plus probable qu'on trouvera la cible, c'est-à-dire dans son environnement habituel : l'endroit où il habite, son lieu de travail, un bar ou un restaurant où il a ses habitudes, ou encore un lieu situé quelque part entre ces points et par où la cible doit nécessairement passer. En cherchant à me localiser, Alfonso téléphonerait probablement au Blues Bar, mais il lui serait impossible de me savoir chez moi en composant le numéro de mon BlackBerry ou même en vérifiant que ma fourgonnette se trouvait au garage. Il pourrait demander à quelqu'un de communiquer avec moi au cours de la soirée pour me donner rendez-vous quelque part, ce qui lui permettrait de pénétrer chez moi par effraction et d'y attendre mon retour, à défaut de m'abattre dans le couloir de mon édifice avant de filer.

Je décidai que, quoiqu'il advienne, je ne sortirais pas de chez moi et ferais en sorte, si possible, qu'Alfonso me croit ailleurs. Il localiserait ma fourgonnette au garage et, ignorant le moyen de locomotion que j'utiliserais pour rentrer chez moi, il s'introduirait dans mon appartement pour m'y tendre une embuscade.

J'éteignis d'abord toutes les lumières. Dans la pénombre qui m'enveloppait, j'armai mon pistolet préféré, un petit Beretta 92 semi-automatique, y vissai un silencieux, et déposai l'arme sur une table située à proximité de la porte d'entrée. J'extirpai d'un placard une vieille valise dans laquelle je lançai pêle-mêle un sac d'épicerie bourré de cash, mes plus récents effets de comptabilité, deux petites aquarelles qui me rappelaient mon enfance, quelques CD, des photos et des livres que j'affectionnais. J'ajoutai quelques vêtements de rechange, ainsi que mon ordinateur portable et les données confidentielles qu'il contenait, et bouclai la valise. Puis j'attendis, patiemment, sans boire une seule goutte d'alcool, sans écouter une seule note de musique et sans activer le téléviseur, mais en consommant une pleine thermos de café et en aiguisant tous mes sens pour qu'aucun d'eux ne me trahisse.

À vingt heures trente, mon BlackBerry sonna. Je répondis aussitôt, et ne fus pas surpris d'entendre la voix de Vito.

– Réal, il y a du nouveau et il faut qu'on se voie au plus sacrant. T'es où, là ?

– À l'hôpital Saint-Luc, avec une gastrite écœurante. Je dois en avoir pour une heure encore.

– O.K., *man*. Je vais te laisser récupérer. Appelle-moi demain matin. Vas-tu pouvoir conduire ton char ?

– Je suis venu en taxi. C'était plus rapide.

– Oublie pas, j'attends de tes nouvelles demain matin. *Ciao* !

C'était donc ça. Maintenant, j'étais convaincu qu'Alfonso, qui n'était pas stupide au point de chercher à me tirer dessus dans une rue passante au milieu de la soirée, se pointerait chez moi très bientôt. Je savais qu'il avait l'habitude, comme moi, de travailler seul, et j'espérais seulement ne pas avoir à me farcir deux soldats à la fois.

Je continuai à exercer mes yeux au repérage des moindres objets situés dans le hall d'entrée. Je m'installai ensuite derrière la porte de ma chambre, laquelle donnait sur le hall, et la fit pivoter juste assez pour qu'il me soit possible d'assister, sans être vu et en plongeant simplement mon regard entre le chambranle et la porte elle-même, à l'intrusion de l'homme que je savais être de petite taille. Assis sur une chaise droite, j'enfilai un gant noir, reposai ma main armée sur ma cuisse, et attendis. Pour la première fois depuis que j'étais du métier, les rôles étaient inversés, et le fait de me savoir une cible me causait un stress considérable. Déjà, mon rythme cardiaque s'accélérait, et je savais que mes pupilles commençaient à se dilater.

Il était vingt et une heures cinq, exactement, lorsque le visiteur se pointa devant la porte de mon appartement. Je perçus d'abord un frottement de tissus témoignant d'une présence humaine très discrète. Bientôt, je discernai un bruit de crochetage, qui se prolongea, l'homme semblant éprouver du mal à atteindre son but. Finalement, je vis la poignée de la porte tourner sur elle-même, lentement, sans émettre le moindre son. Alfonso apparut dans l'embrasure de la porte, pistolet au poing, pénétra dans le hall, referma lentement la porte derrière lui, et me fit face sans le savoir. C'est alors que je le pris de vitesse, en lui logeant une balle au milieu du front, puis une autre en pleine poitrine, là où devait se trouver son cœur s'il en avait un. Hébété, il s'étala de tout son long, sans avoir réussi à faire feu une seule fois.

Libéré de mes pires appréhensions, mais le corps chargé d'une masse d'adrénaline qui ne demandait qu'à s'extérioriser, je fus alors saisi d'un ricanement incontrôlable, qui se transforma en fou rire lorsque je me rendis compte que quelqu'un, c'est-à-dire moi, avait enfin réussi à mettre du plomb dans la tête de cet imbécile.

Cinq minutes s'écoulèrent, pendant lesquelles je m'assurai qu'aucun parmi mes voisins de palier n'avait été alerté, et que le soldat préféré de Big Joey avait quitté avec succès le monde des vivants. De peine et de misère, j'enfermai le macchabée et ses effets dans un vieil étui de contrebasse. Sans me séparer de mon Beretta, je réussis à traîner le colis jusqu'à l'ascenseur puis jusqu'à la fourgonnette, en m'aidant d'un diable qui traînait dans un coin du vaste garage. Je chargeai l'étui dans le véhicule. Puisqu'il n'était pas question de m'éterniser dans les environs, je retournai aussitôt chez moi et entrepris de charger dans la fourgonnette ma valise, ma contrebasse ainsi que le tapis du hall d'entrée qui était souillé et que j'avais pris soin d'enrouler. Je vérifiai ensuite soigneusement l'état des lieux, que je doutais de revoir un jour. J'adressai quelques bonnes paroles à mes plantes, contemplai avec regret ma collection de livres de poche, et me mis en route.

Certain de ne pas avoir été pris en filature, je roulai prudemment jusqu'au domicile de Big Joey, dans le quartier Ahuntsic. Personne n'étant en vue, je déchargeai en vitesse mon colis suspect, que j'appuyai contre un gros érable planté devant la propriété. Je fis aussitôt demi-tour et mis le cap sur les Cantons de l'Est.

Au beau milieu du pont Champlain, je stoppai sur l'accotement et m'empressai d'enfiler une tige de fil métallique dans le pontet de mon pistolet et au travers de mon gant noir, puis dans l'un des orifices du bloc de béton que j'avais l'habitude de trimbaler devant le siège du passager. Je m'assurai que le fil était bien tordu, et balançai le tout dans le fleuve. Dix secondes plus tard, la mince couche de glace qui s'était formée depuis quelques jours éclata, et le bloc disparut, entraînant l'arme tout au fond du fleuve. À Brossard, je quittai l'autoroute à la hauteur du boulevard Taschereau et contournai un centre commercial, à la recherche d'un conteneur à déchets. Je trouvai rapidement ce que je cherchais, et y balançai le tapis. Une voiture de police faisait une ronde autour du périmètre, mais j'avais éteint les phares de mon véhicule et rien ne sembla éveiller l'attention des flics. Je patientai deux minutes, puis repartis en direction de Sherbrooke. Je franchis sans problème le poste frontalier de Derby Line, qui avait l'avantage d'être ouvert en tout temps, et roulai en direction de Boston.

À six heures trente le lendemain, au terme d'une sieste réparatrice, j'avais englouti un volumineux petit-déjeuner et sonnais à la porte de mon vieil ami Dexter, pianiste de jazz avec lequel j'avais souvent travaillé à Montréal, et qui exploitait depuis peu un bar du côté de Cambridge. Je lui expliquai brièvement la situation, en omettant certains détails qui auraient pu lui paraître inquiétants. Il accepta que j'entrepose chez lui, pour une période de temps indéterminée, ma fourgonnette, ma contrebasse et une partie de mes effets personnels. Il appela son agent de voyages et, à onze heures, je m'envolais à destination de Dallas, d'où je repartais bientôt sur Belize City.

7

Connu autrefois sous le nom de Honduras britannique, le Belize est un pays sans valeur stratégique, pratiquement inhabité, et difficile d'accès à moins qu'on y pénètre par la route depuis le Yucatan ou par la voie des airs. Sa côte, protégée par une longue barrière de corail, fut le théâtre de nombreux naufrages, et il n'a jamais été question d'y développer des installations portuaires dignes de ce nom. Sa frontière avec le Guatemala s'avère encore inhospitalière pour quiconque n'a pas développé un goût marqué pour les balades dans une jungle dense et humide, où chassent diverses espèces d'animaux peu domesticables, dont le jaguar. Cela dit, le Belize est une formidable destination pour quiconque souhaite explorer des fonds sous-marins parmi les plus spectaculaires de la planète.

J'étais venu une fois déjà dans ce petit pays sans prétention, où l'absence de longues plages de sable blanc fait que le tourisme de masse n'a pas encore chamboulé la vie quotidienne de ses habitants, leur permettant d'évoluer sans montre-bracelet, prenant plutôt un malin plaisir à laisser le temps filer du lever jusqu'au coucher du soleil. Je songeai que ce serait un lieu de retraite discret et agréable pour Rosalie et moi, le temps de décider ce que nous allions faire de nos vies.

Arrivé à l'aéroport international de Belize City vers dix-huit heures, je compris qu'il me serait impossible de progresser davantage avant le lendemain matin, puisque tous les vols intérieurs avaient déjà pris fin. Je me rendis donc au Fort George Hotel, un établissement à l'ambiance relâchée et doté de tous les services requis par une loque en quête de sommeil. Sitôt arrivé, je réservai une place sur le prochain vol à destination de la petite ville de Corozal, d'où je pourrais franchir la douane mexicaine et rejoindre Rosalie en moins de trente minutes. Informée de ma destination finale, la jeune réceptionniste me recommanda fortement de contacter Ben Walker.

– C'est un chauffeur de taxi basé à Corozal, et qui offre un service de première classe à quiconque cherche à se rendre sans histoire à Chetumal.

– Je suppose que ce monsieur est votre oncle ?

– Vous n'êtes pas loin : c'est un ami très proche de l'un de mes oncles qui est douanier là-bas. De ce côté-ci de la frontière, bien sûr !

– C'est quand même bon à savoir, répondis-je, en lui adressant un sourire complice.

Je communiquai aussitôt avec ce Walker, qui me donna l'impression d'être un joyeux luron. Je lui indiquai le numéro de mon vol, et il promit de m'accueillir à ma descente d'avion.

– Vraiment à votre descente, précisa-t-il. Vous n'aurez même pas cinq pas à faire avec vos sacs. Vous verrez !

Je composai ensuite le numéro de Rosalie, pour lui annoncer que j'approchais.

– Je suis à Belize City, et je devrais être avec toi demain matin vers les onze heures. Tu peux pas savoir à quel point j'ai hâte de te serrer dans mes bras !

– Tout va bien ?

– Oui. Les photos ont produit l'effet escompté, mais par la suite ça s'est corsé. Je te raconterai. Et toi ?

– Je n'ai vu personne rôder dans le coin depuis que t'es parti, et je me tiens tranquille. Mais j'ai hâte de sortir d'ici. C'est un vrai trou !

– Fais attention, et ne te montre pas, au cas où quelqu'un serait à notre recherche. On ne sait jamais !

J'engloutis un club sandwich arrosé d'une Corona, et une émission de télé consacrée à Céline Dion et à sa famille me permit de sombrer rapidement dans un profond sommeil.

Le lendemain matin, frais et dispos, je me présentai au comptoir de Tropic Air situé à l'aéroport municipal de Belize City, où la préposée me renvoya mon très large sourire et décida de ne pas me pénaliser en dépit du fait que le pourtour de ma valise mesurait légèrement plus de soixante-deux pouces linéaires et que son poids dépassait trente-cinq livres. M'étant assuré *de visu* que la valise contenant mes économies allait suivre, je montai à bord du Cessna en compagnie de trois autres passagers, des Américains. Le pilote les déposa à San Pedro, un joli village où la voiturette de golf constitue le principal mode de locomotion, et m'emmena à Corozal. Ben était au rendez-vous, et j'aurais pu sauter dans le coffre de son taxi sans même poser le pied à terre.

Les quinze kilomètres de route séparant Corozal de la douane mexicaine me permirent d'entamer avec Ben une conversation qui m'éclaira sur les subtilités d'un passage réussi au Mexique.

– La première condition pour que ça se passe bien, c'est d'être décontracté, de sourire de toutes vos dents, et de saluer le douanier dans sa langue. Personne ne va vous ennuyer avec des histoires de déclaration, à moins que vous n'ayez l'air trop prospère. Dans ce cas, le douanier pourrait se montrer légèrement zélé tout en vous faisant comprendre qu'il s'attend à ce que vous récompensiez ce zèle par un petit pourboire. Aurez-vous quelque chose à déclarer ?

– Rien. Pas de cigarettes, pas d'alcool, pas de diamants, pas d'arme, pas d'explosifs.

– Des devises pour plus de dix mille dollars ?

– Si c'était le cas, je ne prendrais surtout pas le risque de vous le dire.

– De l'herbe ?

– Est-ce que j'ai une gueule de rasta, Ben ?

– Dans ce cas, vous passerez comme une lettre à la poste.

– Et lorsqu'on entre au Belize avec vous, en sens inverse, c'est pareil ? demandai-je.

– Pas de problème. Avec moi, c'est toujours vite fait. Les douaniers sont mes voisins à Corozal. Nous jouons aux cartes ensemble.

– C'est ce que me disait la nièce d'un de vos copains douaniers. Elle est réceptionniste au Fort George.

– Juana ?

– Oui, Juana. Elle est très gentille, cette fille.

– Ça, c'est bien vrai. Elle m'envoie plein de clients.

Il était presque dix heures lorsque Ben s'arrêta au poste frontière. Il salua le gros douanier mexicain avec cordialité.

– Alors, Ramon, quoi de neuf ?

– Ma femme nous a annoncé hier soir qu'elle allait accoucher d'un garçon, répondit l'autre.

– Six enfants, tu ne trouves pas que ça fait beaucoup ?

– Bah ! Depuis le temps que les filles nous répètent qu'elles veulent un petit frère, elles vont être contentes. Elles vont bien s'en occuper, en plus, ce qui va donner un répit à Carla.

- Tu féliciteras Carla de ma part. Et la partie de foot ? Qui a gagné ?
- Les Jaguars. Mais on les aura la prochaine fois. Je peux voir le passeport de ton passager ?

J'émis un cordial *Hola !* et tendis le document. J'aurais préféré utiliser un passeport établi au nom d'un autre gringo, mais puisque mes professions ne m'amenaient pas normalement à voyager à l'extérieur du Canada, je n'avais jamais cru nécessaire d'entreprendre des démarches dans ce sens. Il m'était arrivé, quelques années plus tôt, d'éliminer un type qui me ressemblait, vivait en solitaire, et dont j'aurais pu faire disparaître la dépouille pour éviter qu'un certificat de décès ne soit émis à son nom. J'aurais pu alors mettre la main sur les pièces d'identité du gars et me glisser temporairement dans sa peau, le temps de me procurer un passeport à son nom. Le problème, c'était que ce truand était probablement bien connu de divers corps policiers, et je n'avais aucune espèce d'envie d'assumer les risques liés à son passé. J'avais donc laissé tomber.

Ramon vérifia que la durée de validité de mon passeport était supérieure à six mois.

- C'est plutôt rare qu'un Canadien pénètre au Mexique par la route. Vous allez à Cancun ? demanda-t-il.
- Seulement à Chetumal et dans les environs.
- Je vois. Vous voulez profiter de nos bas prix, comme tout le monde. Auriez-vous besoin d'un bungalow, par hasard ? Ma femme en a deux qui sont disponibles, du côté de l'Université. C'est un très joli coin.

À l'évocation des bungalows avoisinant l'Université, une sonnette d'alarme retentit dans mon esprit, et toutes mes défenses se dressèrent. J'avais beau m'être inscrit là-bas sous le nom de Sammy Jackson, on ne savait jamais ce qui pouvait s'y tramer. Ce douanier, qui avait eu tout le loisir de lire mon nom et d'examiner ma photo, était probablement à la solde de Sanchez, lequel me faisait possiblement rechercher. Et il ne fallait surtout pas que je ressuscite Rosalie.

– Désolé, je n'en ai pas pour assez longtemps. Mais il se peut que je revienne dans quelques mois avec des amis, et là je ne dirais pas non. Pouvez-vous me refiler la carte d'affaires de votre dame ? demandai-je, en affichant comme toujours mon plus beau sourire.

Le douanier plongea la main dans sa veste et me tendit une carte rose bonbon sur laquelle, entre deux palmiers vert fluo, je reconnus la raison sociale du petit complexe où Rosalie s'était terrée. Je m'efforçai de n'en rien laisser paraître.

– Rien à déclarer ? Cigarettes ? Alcool ?

– Vraiment rien.

– Alors, bienvenue au Mexique !

Ben salua son copain et fonça en direction de Chetumal.

– Où est-ce que je vous dépose ? demanda-t-il aussitôt.

– Au terminus d'autobus. Je vais y consulter les horaires et manger quelque chose.

Sentant poindre le danger, j'avais décidé de taire ma destination réelle, et mon sixième sens me signifia que Ben ne devait plus figurer dans mes projets. Lorsqu'il me déposa devant le terminus, il me remit lui aussi une carte d'affaires.

– Si vous décidez de retourner au Belize, pensez à moi ! lança-t-il. Je vais vous arranger ça en un rien de temps !

– Merci, Ben. Je vais vadrouiller un peu dans le coin, et il se pourrait que je vous rappelle bientôt.

Je pénétrai dans le terminus et m'assurai que Ben avait rebroussé chemin. Sa familiarité avec le douanier mexicain ne me disait rien de bon, et personne ne devait savoir où j'allais, et surtout qui j'allais rencontrer.

Lorsqu'il disparut dans la circulation, j'allai consulter l'horaire. Il y avait chaque jour quatre départs express sur Belize City, à compter de neuf heures, et la distance entre les deux villes pouvait normalement être franchie en trois heures.

Un taxi attendait devant le terminus. Je lui indiquai que je voulais me rendre en bord de mer, dans les environs de l'Université, et exhibai la carte que le douanier m'avait remise. Son visage s'illumina.

– Vous logez chez Carla ! C'est une cousine de ma femme.

– Le monde est très petit, on dirait...

– Tout le monde est parent, ici.

– Si je comprends bien, vous êtes marié à la cousine par alliance de Ramon, le douanier ?

– Vous connaissez Ramon ? Ah, celui-là, c'est un fieffé magouilleur. Son poste lui a coûté cher, mais il lui permet d'acquérir des bungalows à une vitesse phénoménale.

– Il est branché politiquement ?

– Si ce n'était que de ça ! Depuis qu'il est là, les trafics à la frontière n'ont jamais été aussi florissants...

La voiture pénétra bientôt dans le complexe, et je guidai le chauffeur jusqu'à un bungalow situé à proximité de celui que j'avais quitté trois jours plus tôt. Je réglai la course et le taxi s'éloigna. Pensif, mais tout de même heureux de me rapprocher de Rosalie, je franchis allègrement les cinquante mètres qui me séparaient du bungalow n° 15. Je frappai trois fois à la porte, et attendis. Je frappai encore. Puisque aucun signe de vie ne se manifestait, je déposai ma valise derrière un arbuste et contournai le bungalow en cherchant à y déceler une présence humaine. Les rideaux étant entrebâillés, je réussis à jeter un coup d'œil dans la salle de séjour. Tout me laissa supposer que le bâtiment était vacant.

Redoutant le pire, je me rendis aussitôt au bureau de location pour demander si le 15 était toujours occupé. La grosse dame enceinte qui nous avait loué le bungalow, et que j'identifiai sans peine comme étant la légitime épouse de Ramon, me considéra d'un air perplexe.

– Mais, monsieur Jackson, votre dame m'a versé le coût de la location pour toute une semaine. Pourquoi me demandez-vous si votre unité est occupée ?

– Je me suis absenté, et il se pourrait que ma fiancée ait décidé de me fausser compagnie. Elle m'a fait une scène avant-hier, et c'est une personne au tempérament plutôt bouillant !

– Je ne pense pas que madame Carter soit partie, comme vous le craignez. Surtout qu'elle a loué le 18 ce matin pour trois nuits, à l'intention de votre cousin et sa femme qui doivent vous rejoindre.

Je me précipitai à l'extérieur et courus jusqu'au 18, qui était situé de biais avec le 15. Rosalie apparut à la fenêtre, et elle me regarda m'exténuer en souriant de toutes ses dents. Désarçonné, j'allai récupérer la valise et revins aussitôt. La porte s'ouvrit, et Rosalie me contempla sans dire un mot. Je pénétrai à l'intérieur du bungalow, refermai la porte, et l'étreignis. J'étais inondé de sueur, et mon cœur battait à tout rompre. Au contact de son corps, je sentis un long frisson parcourir mon échine, et j'aurais voulu que ce moment soit éternel. Je finis par me ressaisir.

– Qu'est-ce qui se passe, Rosalie ? Tu m'as flanqué une de ces trouilles !

– C'est juste qu'au cas où il y aurait des rôdeurs dans le voisinage, j'ai décidé ce matin de déménager, pour limiter les risques. Tu te trouves maintenant dans le bungalow de ton cousin, et je m'appelle Angela Carter.

– Fais-moi plus jamais ça ! lui dis-je en guise de reproche.

– J'ai seulement voulu changer de parc, pour brouiller les pistes en attendant ton retour. T'avais qu'à me passer un coup de fil tout à l'heure, et je te l'aurais dit.

– Je le sais bien. Mais je me sentais tellement mal, j'étais énervé. Une autre preuve que je t'ai dans la peau. Je pense que je deviendrais fou si tu disparaissais.

Ses bras étaient toujours noués autour de mon cou. Je la soulevai, et l'amenai jusqu'au grand lit. Il était passé midi, et j'avais faim d'elle, comme je savais qu'elle avait faim de moi. Notre festin dura jusqu'au crépuscule, lorsque je déclarai que nous allions impérativement devoir quitter Chetumal le lendemain matin, à bord de l'express de neuf heures.

Je m'emparai de trois ou quatre avocats qui traînaient sur le comptoir de la cuisine et préparai un monticule de guacamole, tout en commençant à rendre compte à Rosalie de ce que j'avais vécu au cours des deux derniers jours. Je relatai la rencontre avec Big Joey et ses acolytes, puis la visite d'Alfonso, qui s'était présenté chez moi pour me faire la peau. J'insistai sur le fait qu'il s'agissait dans mon cas de légitime défense, et pas autre chose. Je lui parlai aussi de Ben Walker, de Ramon et du taxi, en ajoutant que je n'allais désormais me fier à personne tant que nous n'aurions pas trouvé un endroit sécuritaire où vivre normalement.

– Comment as-tu su, pour la visite de cet Alfonso ? demanda Rosalie.

– On m'a prévenu.

– Qui ça, « on » ?

– La femme de Big Joey. Elle avait surpris une conversation et a décidé de me prévenir, parce qu'elle me connaît et qu'elle voulait pas que je me fasse trucider aussi bêtement.

– Si elle a fait ça, si elle était prête à prendre ce genre de risque, c'est parce que vous vous connaissez très, très bien. Avoue !

– J'ai rien à avouer, Rosalie. Elle et moi, on a déjà été amants. Mais maintenant, on est seulement de bons amis.

– Tu veux dire que t'as effectivement couché avec la femme de Big Joey ? Il faut être vraiment culotté pour prendre ce genre de risque ! En réalité, le mot est mal choisi…

Rosalie s'esclaffa. Je fus soulagé de constater qu'elle ne se formalisait pas de ma liaison récente avec Pénélope, et ne cherchait pas à me culpabiliser.

– C'est à cause d'elle qu'il a voulu se débarrasser de moi. Il est maintenant mon ennemi juré à moi aussi, et il devait être dans tous ses états lorsqu'on lui a dit qui reposait en paix dans mon vieil étui de contrebasse. En plus, il est possible qu'il ne m'ait pas cru à ton sujet, et qu'il cherche par tous les moyens à te retrouver et à te neutraliser, après t'avoir fait parler. À propos, il est où, le cash ?
– En sécurité. T'en fais pas.
– J'ai moi-même apporté pas loin de deux cent mille dollars en liquide. Mais ce sont des dollars canadiens.
– C'est pas grave. J'ai assez de dollars américains pour deux.
– Et le pistolet ?
– Il est dans un tiroir, avec le silencieux. Les chargeurs ne sont pas loin.

Je lui fis part de ce que j'avais répondu à la question de Big Joey concernant le pistolet. Elle trouva le mensonge un peu gros. Je mentionnai encore une fois le nom de Porfirio Sanchez, qui disposait d'informateurs un peu partout dans la région.

– Il va falloir qu'on soit vigilants, surtout jusqu'à ce qu'on ait passé la frontière demain. Il faudra charger le pistolet, au cas où ça chaufferait. Mon sixième sens me dit que ça pourrait arriver n'importe quand.

Rosalie finit par accepter que je récupère le pistolet et que j'y insère un plein chargeur. Ensuite, elle me servit un verre de rouge et alla nous cuisiner une bavette à l'échalote digne des plus grands chefs.

– Je me souviens pas d'avoir vu une bavette dans le frigo, avant de partir, dis-je. Ce vin-là, je l'avais pas vu non plus. Et puis, le bouteille de tequila devait pas être là parce que tu m'as dit au téléphone que t'étais en manque… T'as fait pas mal d'emplettes depuis mon départ, hein ?

– Tu pensais tout de même pas que j'allais rester encabanée pendant des jours, surtout avec cette chaleur suffocante !

– C'était très risqué, Rosalie.

– Je le sais bien, mais j'avais des fourmis dans les jambes. En plus, j'avais envie de te préparer une bonne bouffe.

À son tour, elle me raconta par le détail ce qu'elle avait fabriqué au cours des deux derniers jours. Une fois le dîner terminé, elle alla préparer ses bagages en prévision du départ matinal. C'est alors que je finissais de ranger la vaisselle qu'elle m'appela, d'une voix sourde et chargée d'appréhension :

– Réal ! Viens voir ! Éteins les lumières et fais pas de bruit !

8

En jetant distraitement un coup d'œil par la fenêtre de la chambre à coucher, Rosalie avait repéré non pas un, mais deux hommes à l'allure louche, qui rôdaient autour du bungalow n° 15. Il était un peu plus de vingt-deux heures. J'éteignis aussitôt toutes les lumières de la chambre et de la salle de séjour pour mieux scruter les ténèbres, les yeux fixés sur le petit bâtiment situé à une soixantaine de mètres de nous et qu'un réverbère éclairait faiblement. Je vis le plus grand des deux hommes s'adosser à une voiture sombre et allumer une cigarette, pendant que l'autre allait faire le tour de l'immeuble. Quelques minutes plus tard, le petit réapparut de l'autre côté. Les deux hommes échangèrent quelques mots, puis se dirigèrent à pied vers le bureau de location situé à une centaine de mètres de là, et y pénétrèrent.

– Ça se peut presque pas qu'ils sachent déjà qu'on est là, dis-je à voix basse. Ils n'ont pas pu nous repérer au moyen de ton portable, parce qu'il est équipé d'une carte SIM prépayée et que le modèle est trop ancien pour incorporer une technologie de localisation des services d'urgence. En plus, je l'ai payé cash et on ne m'a même pas demandé mon nom. Quelqu'un dans les environs les a renseignés, c'est certain. En tout cas, on peut dire qu'ils sont vites en affaires !

– Moi, je ne suis pas surprise, rétorqua Rosalie. Dans une ville peuplée de petits Mexicains, tout le monde peut savoir où se tiennent deux grands gringos, même s'ils sont de passage.

– C'est pour ça que je t'avais conseillé de te montrer le moins possible.

Anticipant une intrusion prochaine, je verrouillai la porte d'entrée située à l'avant. Puis je m'emparai d'une lampe sur pied dont le faisceau pouvait être aveuglant, et allai l'installer devant la porte de derrière, de façon à ce qu'il soit possible d'éblouir quiconque y ferait irruption. Rosalie avait déjà posé son couteau sur une chaise jouxtant cette issue. Je vissai le silencieux au bout du pistolet, plongeai le second chargeur dans la poche de mon pantalon, et me préparai mentalement à toute éventualité. Conscient du danger auquel Rosalie serait exposée, je cherchai à la rassurer.

– Sois pas inquiète, Rosalie. J'ai pas l'habitude de recevoir des exécuteurs chez moi, mais j'ai eu l'occasion d'imaginer deux ou trois scénarios et de pratiquer avant-hier, alors je sais quoi faire. Tiens-toi loin de la porte, et s'ils essaient d'entrer, dis pas un mot. Je vais leur braquer aussitôt la lampe dans les yeux et ils vont être aveuglés. Ça me permettra de les prendre par surprise, tous les deux.

– Qu'est-ce que tu vas faire si un seul des deux décide d'entrer, et que tu sais pas où est l'autre ?

– Bonne question. Plutôt que d'allumer, je vais le descendre et me dépêcher de le traîner à l'intérieur. À cause du silencieux, son petit copain va penser que tout est normal et il va entrer à son tour. S'il entend le coup de feu, il va probablement penser que c'est son comparse qui a tiré. Il fait noir ici, et ces gars-là ne s'attendent pas à affronter un comité de réception.

– Et s'il y a un échange de coups de feu ?

– Il ne devrait pas y en avoir. Je vais les prendre de vitesse. Quoiqu'il en soit, tiens-toi loin de la porte.

Côte à côte, Rosalie et moi avions le nez collé à la fenêtre de la salle de séjour, prêts à déceler le moindre mouvement dans le voisinage de notre immeuble. Soudain, elle se tourna vers moi.

– Écoute, Réal, je veux pas être un membre inutile du comité de réception, comme tu dis. Je vais me placer juste à gauche de la porte, et si les deux hommes décident d'entrer en même temps, je vais m'occuper de celui qui sera de mon côté.

– Comment vas-tu faire ? T'as même pas d'arme !

– T'inquiète pas. J'ai un couteau, pas loin, mais j'ai mieux encore.

Sur ce, elle leva sa main droite et en afficha le tranchant, un sourire au coin des lèvres en dépit du caractère dramatique de la situation. Comment pouvait-elle seulement espérer que j'allais la prendre au sérieux ?

– Fais attention, répondis-je, et ne te mets surtout pas entre eux et moi. Si ces gars-là sont venus nous faire la peau, je préfère en finir rondement.

Quelques minutes plus tard, les deux hommes émergèrent du bureau de location et se dirigèrent vers notre bungalow, progressant en retrait des réverbères qui jalonnaient la rue. Carla leur avait sans aucun doute affirmé que la touriste du 15 avait loué aussi le 18. Rendus devant le bungalow voisin, ils s'éloignèrent de la chaussée et entreprirent de contourner le nôtre. Je n'eus aucun mal à déterminer que le plus petit des deux était un Mexicain. Quant au grand gaillard que j'avais vu plus tôt, appuyé contre la voiture, il avait une façon de marcher en roulant les épaules qui me rappelait vaguement quelqu'un, un homme que j'aurais rencontré récemment. Puis je distinguai nettement son visage. Il n'y avait aucun doute dans mon esprit : je venais de reconnaître Gino Russo, alias La Fouine.

Je n'arrivais pas à comprendre comment il se faisait que Vito avait confié ce genre de boulot à son fouille-merde. La Fouine était un spécialiste de la traque, pas un tueur. Et cela me paraissait d'autant plus évident ce jour-là que le bonhomme bafouait une règle de base en ne prenant aucune précaution particulière pour agir dans l'anonymat, et se camoufler dans l'hypothèse où sa cible l'aurait repéré – ce qui était le cas. La Fouine faisait preuve maintenant d'amateurisme, et il allait payer.

– Ça va être ta fête, espèce d'enfoiré ! murmurai-je.

– Qu'est-ce que tu dis ? chuchota Rosalie.

– Rien. Attention, ils arrivent !

J'avais deviné juste en supposant que le duo allait tenter de pénétrer dans notre bâtiment par la porte de derrière, plongée dans la pénombre et d'accès beaucoup plus discret. Rosalie alla prendre position à gauche de la porte, et je vérifiai que la lampe était située à l'endroit voulu. Jetant un coup d'œil par la fenêtre située à l'arrière, et dont j'avais bloqué le mécanisme, je vis que le Mexicain surveillait les environs, pendant que La Fouine s'approchait. Le cœur battant, je m'effaçai derrière le cadre de la fenêtre et me rapprochai lentement et silencieusement de la lampe. J'aspirai très fort en espérant que mon cœur reprendrait un rythme normal, ou aussi normal que possible vu les circonstances, et m'emparai du Ruger, prêt à souhaiter la bienvenue aux intrus.

La poignée de la porte bougea à peine, puis il ne se passa plus rien pendant trois ou quatre minutes. J'entendis ensuite le bruit d'une carte plastifiée qu'on activait dans le chambranle de la porte, à hauteur du pêne. Rosalie leva le bras. Soudain, la porte s'ouvrit toute grande, dans un grincement, et deux silhouettes apparurent. J'allumai aussitôt la lampe, qui projeta un faisceau aveuglant sur le visage des deux hommes, et appuyai une fraction de seconde plus tard sur la détente en visant le nez de La Fouine. En même temps, le tranchant de la main de Rosalie s'abattit sur l'avant-bras du petit Mexicain, qui lâcha son arme en se tordant de douleur et courba l'échine avant de recevoir un terrible coup de genou qui lui referma la mâchoire dans un claquement sec.

– Qu'est-ce qui se… ? gueula La Fouine, parfaitement déconcerté.

– Il se passe qu'on est là, Gino ! rétorquai-je, conscient d'avoir raté la cible.

Tout en ripostant, je lui avais logé une balle dans le front, puis une autre dans la région du cœur, et une quatrième dans le ventre. Les yeux écarquillés, il tira lui aussi en tombant, et mon oreille gauche perçut le *pfffft* de deux pruneaux dont l'un venait de faire éclater la lampe. Lorsque son corps toucha le sol, il fut secoué de spasmes violents et finit par s'immobiliser à mes pieds, les yeux exorbités et pissant le sang par l'artère carotide qui avait été percée. Un filet de sang coula de sa bouche. Puis ses yeux se révulsèrent. Quant au petit Mexicain, il gisait sur le sol, évanoui devant Rosalie qui tremblait maintenant comme une feuille.

Trempé de sueur, je m'agenouillai près de La Fouine et lui pris le pouls. Rien. Je me tournai vers Rosalie.

– Comment te sens-tu ?

– Ça va aller. Je pense que j'ai rien. Et toi ?

– J'ai été épargné moi aussi, miraculeusement. Il y a deux balles qui ont cillé tout près de mon oreille, et un tesson de la lampe a bien failli me crever un œil.

Rosalie contempla le petit Mexicain. Son attaque avait été parfaite, et on aurait dit qu'elle regrettait d'avoir eu à l'exécuter sans un public de fins connaisseurs.

– Qu'est-ce qu'on fait avec Gringalet ? finit-elle par demander.

– On n'a pas le choix. Va derrière, et je vais m'occuper de lui. Je veux pas que tu me voies faire.

Rosalie se retourna tout simplement, et elle lança :

– Vas-y, qu'on règle ça pour de bon !

J'aurais pu simplement bâillonner le Mexicain d'une main, tout en pinçant ses narines entre le pouce et l'index de l'autre. En moins de deux minutes, il aurait cessé de vivre sans que son sang ne vienne maculer le sol. Mais à quoi bon me compliquer inutilement la vie, puisqu'un peu de plomb suffisait. J'appuyai le silencieux contre la nuque du Mexicain et tirai. Son cerveau gicla, puis son corps fut secoué tout entier d'un spasme semblable à ceux qui avaïent agité son comparse, et il s'immobilisa. Il venait lui aussi d'être rayé de la liste des vivants.

L'arme de La Fouine, comme la mienne, était équipée d'un silencieux, ce qui avait empêché que la fusillade ne soit entendue dans tout le quartier. Je sortis et allai jeter un coup d'œil aux alentours, pour m'assurer que nos voisins n'avaient pas été ameutés et qu'aucune ombre ne bougeait dans le talus situé derrière le bungalow. Un silence complet régnait dans le voisinage. Je déposai le Ruger et fis signe à Rosalie qu'elle pouvait venir prendre une bouffée d'air à l'extérieur sans risquer quoi que ce soit. Lorsqu'elle me rejoignit, je la serrai dans mes bras. Elle tremblait encore.

– Le grand, c'est lui qui t'avait repérée à Cancun.

– Tant pis pour lui, fit-elle, en haussant les épaules. Il a eu ce qu'il méritait. Et maintenant, qu'est-ce qu'on fait ?

– Il faut décamper ! Désormais, on a aussi pour ennemi direct le grand boss de la Riviera Maya, qui vient de perdre un de ses hommes de main. Il contrôle beaucoup de monde et son réseau est étendu. Mais on ne peut rien faire avant demain matin. Le premier express sur Belize City est à neuf heures.

Rosalie me suivit dans la salle de séjour et referma la porte derrière elle, tandis que j'allumais. Déjà, ça puait le sang, et les odeurs venues du ventre percé de La Fouine n'arrangeaient rien. Il allait falloir dissimuler les deux cadavres, puis nettoyer les carreaux qui étaient souillés et enlever les débris qui jonchaient le sol. La première tâche était de loin la plus délicate. Je décidai de consulter ma nouvelle partenaire, pour voir comment elle raisonnait.

– Pour les corps, on a une alternative. Ou bien on les dissimule sous le lit, puis on ouvre les fenêtres de la chambre et on referme la porte, pour que l'air soit respirable ici. Ou bien on les emmène jusqu'à leur voiture, on les balance dans le coffre, et on les oublie. Qu'en penses-tu ?

– Je vote pour qu'ils finissent sous le lit. Comme ça, on ne risquera pas que quelqu'un nous voit lancer deux colis suspects dans le coffre d'une voiture, aux environs de minuit. Surtout qu'il y a deux réverbères pas loin. Et je me fiche bien de ce que Carla pourra penser. C'est probablement elle qui nous les a envoyés, ces deux-là.

– On est d'accord. En plus, ça nous permettra d'utiliser leur véhicule pour nous rendre au terminus, à l'heure qui nous conviendra.

Je récupérai la clef de la voiture dans la poche de Gringalet, puis enveloppai les deux cadavres dans des draps de rechange que Rosalie avait dénichés dans un placard. Elle m'aida à les transporter jusqu'à la chambre, où je les fis rouler sous le lit jusqu'à ce qu'ils disparaissent de notre vue, tandis qu'elle ouvrait les fenêtres. Je refermai la porte de la chambre.

– *Hasta luego, compadres !* lançai-je.

– *Adios, Motherfuckers !* renchérit Rosalie.

Quinze minutes plus tard, le ménage était fait. J'essuyai le Ruger, puis l'enveloppai, ainsi que le silencieux et le second chargeur, de quelques épaisseurs de papier hygiénique. Je plaçai le tout dans la boîte de fer-blanc, dont je fermai hermétiquement le couvercle et que je déposai au fond de la petite glacière qui allait contenir en outre du coca-cola et des biscuits. Rosalie entreprit de tapisser de billets de banque le fond de l'une de ses deux nouvelles valises.

– Elles sont vraiment minuscules, ces valises ! s'exclama-t-elle.

– Je sais bien, et c'est dommage pour tes belles toilettes, mais puisqu'on devra monter à bord d'un Cessna, on n'a pas le choix. Il va falloir que tu te débarrasses de la moitié de ta garde-robe, au moins. Tu peux toujours te consoler en songeant qu'une fraction du cash que tu ranges dans tes bagages te permettra de la refaire au complet, et même plus, quand tu seras rendue à destination.

– Ça dépend où on va. C'est sûrement pas au Belize que je vais pouvoir remplacer mes fringues !

– Notre destination, c'est pas le Belize, Rosalie. Et si ça devait l'être, t'auras vraiment pas besoin de remplacer ce que tu laisses ici. Il reste que j'aimerais bien revoir la petite robe noire que tu portais le soir de notre premier rendez-vous.

– C'est vrai qu'elle est efficace, cette robe…

– Surtout quand t'es toute nue dessous !

– C'est ce que je voulais dire. T'es sûr qu'on pourra passer la frontière sans problème ?

– Le Belize est membre du Commonwealth britannique. Puisqu'on est canadiens, on n'aura pas besoin de visas et je serais très étonné qu'on nous fouille. En plus, je sais qu'un des douaniers est l'oncle de Juana, la réceptionniste à l'hôtel où j'ai dormi hier soir. On ne sait jamais, ça pourrait être utile…

– As-tu dit « où j'ai dormi », ou « avec qui j'ai dormi » ?

– T'as très bien compris, Rosalie.

Elle avait accompagné sa question d'un petit rire narquois. Je fus soulagé de constater que, tout en continuant de trembloter, elle savait maintenant gérer une part appréciable du stress lié à l'élimination de nos visiteurs.

– Oh, et puis je te recommande de répartir ton trésor dans tes deux valises, ajoutai-je. Il faut toujours prévoir l'imprévu.

Plus tard, je voulus lui poser à mon tour une question qui me turlupinait.

– Dis donc, es-tu championne de jiu-jitsu ? J'ai tout entendu quand t'as cassé l'avant-bras de Gringalet avec ton *shuto* et quand tu lui as écrabouillé le visage avec ton *hiza geri*.

– Je suis seulement ceinture marron. Puisque j'ambitionne d'être ceinture noire d'ici un an ou deux, il faut bien que je pratique un peu, non ? Mais comment se fait-il que tu connaisses ces termes-là ?

– J'ai appris par cœur, pour épater la galerie, mentis-je. Qu'est-ce qui t'a motivée à apprendre les arts martiaux ?

– J'ai failli être violée par un de mes professeurs quand j'avais seize ans, et mon père m'a inscrite à des cours d'autodéfense. J'avais pas mal d'aptitudes, alors je suis allée me spécialiser en Taekwondo chez Chong Lee. Tu connais ?

– Bien sûr ! Il est dans le business depuis au moins trente ans.

– J'étais ceinture noire deuxième dan à vingt-deux ans. Puis je suis passée à autre chose. C'est seulement l'an dernier que je me suis convertie au jiu-jitsu, pour le plaisir...

Quelques instants plus tard, ses deux valises étaient bouclées et elle alla s'étendre sur le grand divan. Je l'y rejoignis. Au cours des prochaines heures, nous allions devoir tenter de nous reposer tout en veillant deux macchabées et en nous préparant à toute éventualité s'il venait à l'idée d'un homme de Sanchez de s'amener pour constater les résultats de l'opération menée la veille. La poussée d'adrénaline qui nous avait permis de survivre à l'attentat continuait de faire sentir ses effets, et je savais que le sommeil ne viendrait pas facilement. Surtout que la voiture de nos agresseurs était toujours là, dans la rue, ce qui pouvait amener Ramon, Carla ou un membre de la famille locale à se poser des questions. Je me tournai vers Rosalie.

– Tu me croiras peut-être pas, mais j'ai terriblement envie de toi. Tu penses pas que ça nous aiderait à dormir si on...

– Modère tes transports, Réal. On a passé l'après-midi au lit. Il est passé minuit. Il y a deux cadavres dans la pièce d'à côté. Et en plus, il va falloir garder l'œil ouvert au cas où on aurait de la visite cette nuit. Alors, compte les moutons, et dis-toi que t'auras besoin de toutes tes énergies, demain, pour gérer mes fantasmes.

Au terme de la nuit sans histoires et presque blanche écoulée dans notre morgue de fortune, je décidai d'aller d'abord chercher les billets d'autobus, pour ne pas avoir à patienter inutilement, avec Rosalie, dans un lieu public où les gringos de haute taille n'étaient pas légion. Le voisinage du bungalow était d'un calme plat, le terminus était peu achalandé, et l'aller-retour se fit sans incident. À huit heures quarante, les bagages étaient chargés dans la Toyota. Je scrutai les alentours, et ne décelai aucun mouvement suspect. Puis je déposai la clef des deux bungalows sur le comptoir de la cuisinette et fixai l'affiche « No Moleste » sur la poignée extérieure de la porte d'entrée. Ainsi, Angela Carter et Sammy Jackson auraient quitté le Mexique bien avant que la femme de chambre, ravie à la vue de quelques vêtements oubliés par une cliente distraite, ne finisse par découvrir nos victimes et pousse un long cri.

Je refis avec Rosalie le même trajet, allai garer la voiture dans le parc de stationnement du terminus, et inspectai soigneusement les lieux avant de décharger nos bagages. Mon niveau d'alerte était à son maximum, mais je ne vis aucune raison de m'inquiéter. Nous n'avions pas été suivis depuis le bungalow, ça, j'en étais sûr. Il ne se passait rien d'anormal du côté du terminus et, parmi les dizaines de personnes qui s'y dirigeaient, j'aurais eu du mal à repérer quelqu'un posté là pour nous espionner. Discrètement, je jetai un dernier coup d'œil à la ronde et, accompagné de Rosalie, je pénétrai dans le long bâtiment.

Nous avions projeté de monter séparément à bord de l'express. Finalement, j'y grimpai immédiatement derrière elle, et nous nous installâmes de part et d'autre du couloir, dans la quatrième rangée. Le siège voisin du mien étant vacant, j'y posai la petite glacière.

L'autobus démarra à neuf heures pile, ce qui me parut être tout un exploit de la part du chauffeur, dans un pays où le concept d'exactitude ne rimait à rien. La traversée de Chetumal se fit en moins de dix minutes, et, lorsque l'autobus arriva à la hauteur du poste où je m'étais arrêté la veille avec Ben, je me tournai vers Rosalie pour éviter d'être reconnu par Ramon ou l'un de ses collègues. Le petit poste occupé par les douaniers du Belize se trouvait un peu plus loin.

À ma grande surprise, nous n'avions pas à sortir du véhicule, le contrôle s'effectuant à bord, et vraisemblablement à la tête du client. Puisque Rosalie et moi étions vêtus de jeans et de tee-shirts semblables à ceux portés par la plupart des routards américains qui nous accompagnaient, rien ne nous distinguait vraiment. Le douanier qui était monté dans l'autobus examina brièvement nos passeports et y apposa un cachet. Lorsqu'il me rendit le mien, je le remerciai en affichant un sourire lumineux qui ne parut pas l'émouvoir.

– Quelque chose à déclarer ? demanda-t-il.
– Rien, sinon quelques effets personnels, et un peu de coca-cola avec des biscuits, pour la route.
– Pas d'alcool ?
– Votre Belikin est bien meilleure. Ça bat la Corona n'importe quand !
– Je pensais tequila.
– Je ne transporte aucun alcool.
– Je veux voir ce qu'il y a dans cette glacière, là, à côté de vous.

Je soulevai aussitôt le couvercle de la glacière. Le douanier contempla le coca-cola et les biscuits et, par excès de zèle, jugea utile de plonger sa grosse main baguée jusqu'au fond du contenant, sans trouver à redire. Il remonta vers l'arrière en poursuivant son inspection, puis revint bientôt sur ses pas et fit signe au chauffeur qu'il pouvait continuer.

Je jetai un regard en direction de Rosalie. Elle était livide, et je crus qu'elle allait vomir. Allongeant aussitôt le bras, je l'invitai à occuper le siège voisin du mien.

– T'as eu la chienne, hein, Rosalie ?

– Fie-toi pas sur moi pour passer une autre douane avec un colis comme celui-là ! J'ai failli m'évanouir ! Comment se fait-il que le douanier ait rien trouvé de suspect, quand il a tâté le fond de la glacière ?

– Comme je prévois toujours l'imprévu, j'ai pris la boîte de fer-blanc et je l'ai cachée sous le siège, pendant qu'on traversait Chetumal et que tu contemplais le paysage. Tu trônes actuellement sur mes outils !

9

Une fois remise de ses émotions, Rosalie réussit à se détendre, soulagée de se retrouver enfin à l'extérieur du Mexique et de plus en plus loin des dépouilles que nous venions de confier aux bons soins de Carla.

– Penses-tu que la police mexicaine va être à tes trousses ? demanda-t-elle.

– Je ne pense pas. Ces gars-là vont être enterrés en douce. Mais Sanchez, oui, sans aucun doute. En partie parce qu'on a raccourci la vie de Gringalet, mais surtout parce qu'il risque de perdre la face devant Big Joey si on disparaît de la circulation.

– Pourquoi « on » ? Est-ce que tu m'as pas déjà fait disparaître ? Pourquoi je serais recherchée, moi ?

– Peut-être que Ramon a tout simplement alerté Sanchez après m'avoir ouvert la porte du Mexique. Mais il est bien possible aussi que quelqu'un t'ait reconnue à Chetumal, quand tu faisais tes emplettes. Carla t'a vue et revue, et je suis convaincu qu'elle raconte plein de choses à Ramon. En tout cas, je mettrais ma main au feu que c'est pas pour rien qu'ils ont envoyé deux gars plutôt qu'un.

– Tu penses vraiment que je vais devoir continuer à me cacher ?

– Il va falloir faire comme s'ils pensaient que t'es toujours là. Ce sera plus prudent si tu te fais discrète. Et il se pourrait que moi, pendant ce temps, j'organise ma propre liquidation.

– J'espère que tu ne comptes pas sur moi pour t'exécuter. Je ne suis pas tellement douée pour ce genre de choses, ironisa Rosalie.

– Si me je fie à ce que t'as fait subir à Gringalet, on ne dirait pas ça ! En réalité, je sais pas comment je procéderais au juste. J'ai pas eu beaucoup de temps pour y penser. Repose-toi, et on pourra en discuter plus tard, quand on sera seuls. En attendant, je dois décider où on va coucher ce soir.

La durée du trajet vers Belize City était estimée à un peu moins de trois heures, ce qui invitait à la sieste. Rosalie appuya sa tête contre mon épaule, et réussit en moins de cinq minutes à tomber dans un état de somnolence qui était de bon augure. Elle s'en remettait de toute évidence à moi, confiante que j'allais évaluer correctement la situation et trouver des façons de limiter au maximum les risques auxquels nous faisions face.

Sans trop savoir comment, j'envisageais de me faire officiellement liquider, et c'était surtout en prévision de ce genre d'événement que j'avais voulu quitter le Mexique par voie terrestre, sans me séparer de l'arme et des munitions qui nous avaient permis jusque-là de sauver notre peau. Je savais seulement qu'il faudrait attirer un agresseur dans une embuscade, et le blesser assez gravement pour qu'il se voit obligé de collaborer en lisant un message destiné à Vito, ou un autre lieutenant de Big Joey, dans l'espoir d'être épargné. Le lieu où le piège pourrait être tendu avec un maximum d'efficacité devait être choisi avec soin. Par ailleurs, Rosalie et moi devions pour le moment nous terrer dans un endroit peu fréquenté.

J'avais déjà songé à la possibilité qu'aussitôt arrivés à Belize City, nous affrétions un petit avion pour mettre le cap sur les îles Cayman, distantes de quelques centaines de kilomètres seulement. Mais l'archipel étant le plus important centre offshore de la planète, on y trouve une très forte concentration d'étrangers, et un trafic aérien particulièrement dense, ce qui n'est pas de nature à faciliter le contrôle d'une situation impliquant un visiteur dangereux. De plus, il était hors de question d'atterrir là-bas en possession d'une arme, et je me doutais bien que j'en aurais besoin, éventuellement. Il fallait donc trouver un lieu propice à l'intérieur des frontières du Belize.

Je consultai une carte géographique du pays, que je m'étais procurée l'avant-veille. San Pedro, un joli village situé sur une île à proximité de Belize City, et où j'avais fais escale la veille, aurait pu constituer un lieu de retraite intéressant. Mais comme aux îles Cayman, quoiqu'à une échelle réduite, on y voyait des nuées de touristes venus en avion ou en bateau depuis la capitale. Tous les autres villages côtiers pouvaient être qualifiés de bleds. Mais l'un d'eux, Placencia, avait l'avantage d'être situé sur la pointe d'une péninsule longue d'une quinzaine de kilomètres, entre mer et lagon, et pour un être sensé, l'avion représentait la seule façon de s'y rendre sans avoir à souffrir pendant des heures sur une route parsemée de nids de poule. Avec une population limitée à quelques centaines de résidants, des infrastructures touristiques modestes, et un aéroport peu fréquenté, le village de Placencia était l'endroit rêvé pour attirer un agresseur et contrôler ses allées et venues. De plus, on y trouvait les plus belles plages du pays, et la barrière corallienne y promettait du bonheur aux amateurs de snorkeling. Rosalie aimerait, et moi aussi.

Lors de mon passage à Belize City, je m'étais procuré l'horaire de tous les vols offerts par Tropic Air et son compétiteur Maya Island Air. Quelques vols quotidiens étaient prévus à destination de Placencia au départ de l'aéroport international, situé à Ladyville, un gros village situé en banlieue de Belize City et que notre autobus devrait bientôt traverser. D'autres étaient programmés au départ de l'aéroport municipal de la capitale. La situation était idéale, et ma décision fut prise rapidement. Nous allions descendre de l'express à Ladyville, comme si nous nous préparions à nous envoler de l'aéroport international, mais sauterions aussitôt dans un taxi qui nous amènerait à l'aéroport municipal, d'où un vol à destination de Placencia décollait à midi trente, suivi d'un autre à treize heures. Ainsi, quiconque était susceptible de nous attendre vers midi au terminus d'autobus avec des intentions peu avouables comprendrait, en questionnant notre chauffeur, que nous avions mis fin prématurément à notre ballade à l'aéroport international, avec l'intention évidente d'en repartir en avion. Les recherches se porteraient alors du côté de Ladyville, au moment même où nous nous envolerions depuis l'aéroport municipal.

À quelques kilomètres de Ladyville, je me rendis à l'avant de l'autobus et offris cinquante dollars au chauffeur, qui accepta avec gratitude d'effectuer un léger détour et de nous déposer devant le terminal central de l'aéroport international, lequel ne figurait pas normalement sur son itinéraire. Je retournai auprès de Rosalie pour la réveiller et lui signifier qu'il était temps de descendre de l'autobus.

– Je t'expliquerai pourquoi quand on sera seuls.

– Il est arrivé un pépin ? demanda-t-elle, inquiète.

– Pas du tout. On continue tout simplement en taxi, et on s'envole vers le paradis dans moins d'une heure.

Elle ramassa ses effets et me suivit, sans mot dire, jusqu'à l'extérieur de l'autobus.

As-tu récupéré tes affaires sous mon siège ?

T'inquiète pas. Tout est là.

– Et qu'est-ce que tu vas faire quand viendra le temps de passer les contrôles de sécurité ?

– J'y ai pensé.

Je récupérai nos trois valises, et attendis que l'autobus se soit éloigné avant de héler un taxi immobilisé devant la porte des arrivées. Il était onze heures trente. Je demandai au chauffeur, un prénommé Winston, de nous conduire le plus rapidement possible à l'aéroport municipal, mais en s'arrêtant d'abord devant le bureau de poste situé à proximité du Swing Bridge.

– Je vais m'expédier la quincaillerie à la poste restante de Placencia, expliquai-je à Rosalie. Il faut faire vite, parce que le bureau de poste va fermer entre midi et une heure, et qu'en plus, on a un avion à prendre à midi trente.

– Pourquoi ne pas expédier le colis par avion, séparément ?

– C'est trop risqué. Il est possible que tout ce qui est expédié par la voie des airs soit passé au détecteur. Je vais demander que l'envoi soit fait par autobus, même si ça doit prendre trois jours. J'ai tout mon temps. En fait, je pense que tu dois envisager d'écouler au moins une semaine à Placencia. Tu vas aimer, j'en suis sûr.

Winston stoppa devant le bureau de poste de Queen Street à onze heures cinquante. Il n'y avait aucune file d'attente, et la préposée du guichet des colis se préparait à quitter les lieux, mais elle comprit en me voyant que j'allais faire vite. Le temps de scotcher la boîte de fer-blanc, de l'introduire dans une grande enveloppe étanche, de préparer l'étiquette d'envoi et de régler, il était moins cinq. J'allais partir lorsque la préposée, consultant le nom de l'expéditeur qui figurait sur l'enveloppe, me lança :

– Votre colis sera à Placencia dans deux jours, monsieur Whitman. Vous ne voulez pas l'assurer ?

– Bah ! répondis-je, j'expédie simplement quelques bouts de tuyauterie qui demeurent introuvables pour le moment à Placencia. Je vais assumer le risque.

L'enregistrement à l'aéroport se fit sans problème. Tous ceux qui étaient massés dans la salle d'attente paraissaient n'avoir envie que de prendre du bon temps au paradis, et rien ne laissait supposer qu'on nous recherchait pour quoi que ce soit, Rosalie et moi. Jusqu'à ce qu'une préposée de Tropic Air vienne nous demander de retourner au comptoir d'enregistrement, parce qu'il y avait un problème. Rosalie blêmit une nouvelle fois, et j'eus moi-même du mal à contrôler mes émotions. Que se passait-il donc pour qu'on nous interpelle ainsi ?

– Nous sommes désolés, mais il semble que nous ayons vendu trop de sièges sur le vol 361, et ce sont vos titres que nous avons émis en dernier, expliqua la préposée. Veuillez attendre quelques minutes pendant que nous cherchons à clarifier la situation.

Les cinq minutes qui suivirent furent particulièrement éprouvantes, et Rosalie et moi ne trouvions rien à nous dire tellement nos pensées étaient confuses. Nous ignorions ce qui se tramait dans le petit bureau situé derrière le comptoir d'enregistrement, d'où deux agents de sécurité nous dévisageaient avec un peu trop d'insistance. Que savaient-ils de nous ? Étaient-ils en communication avec la police mexicaine ? Allaient-ils nous interroger concernant nos allées et venues depuis quelques jours ? J'entrepris de concevoir un plan de sauvetage pour le cas où nous serions retenus à l'aéroport contre notre gré.

La préposée revint enfin vers nous, sans avoir perdu son attitude relaxe et bienveillante. Je m'en trouvai soulagé.

– Il n'y a plus de problème, déclara-t-elle, légèrement penaude. Ma collègue a commis une erreur en inscrivant deux fois une même donnée. Vous pouvez procéder à l'embarquement. Veuillez excuser cette fausse alerte.

À midi trente pile, nous montions en compagnie de quelques touristes texans et de deux rastas émaciés à bord du vol 361 de Tropic Air à destination de Placencia. J'eus alors tout le loisir d'expliquer à Rosalie, dans un jargon québécois qu'aucun autre passager n'était en mesure de comprendre, pourquoi nous mettions le cap sur ce petit paradis.

La péninsule de Placencia, découverte depuis peu par les touristes en raison de ses plages propices à la baignade, de la barrière corallienne située à quelques kilomètres de sa côte et de sa nouvelle piste d'atterrissage, connaissait un développement plutôt rapide mais dont les effets sur le mode de vie de ses premiers habitants étaient à peine perceptibles.

Du côté ouest de la péninsule s'étendait un lagon, petit havre de paix célèbre pour ses couchers de soleil et la présence de crocodiles, de tortues et de lamantins, mais peu exploité par les promoteurs. Sur la place du village, située devant le quai où aboutissait la mauvaise route de terre venant de Belize City, on éprouvait facilement un sentiment d'isolement, confirmé par la vue de maisonnettes parfaitement englouties dans une flore tropicale aussi généreuse que gênante. Le long de la plage, quelques pirogues colorées reposaient à l'ombre des palmiers, tandis que des pêcheurs palabraient en s'adonnant à leur passe-temps favori, le domino. D'autres sirotaient simplement un verre de rhum entre copains, pendant que les femmes s'affairaient à réunir les ingrédients de petits plats qui seraient offerts plus tard aux touristes comme aux enfants au teint brun et aux cheveux étrangement blonds qui jouaient au ballon. Tout au centre du village, qu'il scindait d'un bout à l'autre, se trouvait le *sidewalk*, une étroite allée de bois construite sur le sable et qui permettait d'accéder aux maisonnettes sur pilotis transformées en restaurants ou en centres d'artisanat local. On voyait que, partout, les villageois prenaient le temps de bavarder et de rigoler entre amis, tandis que les touristes qui n'avaient pas opté ce jour-là pour la plongée dans les cayes se prélassaient au creux d'un hamac, un livre à la main.

Je nous fis conduire au Barracuda & Jaguar Inn, un minuscule établissement disposant de jolies chambres entourées de jardins d'hibiscus, chacune jouxtée d'une terrasse avec moustiquaires et hamacs. J'eus la chance d'y louer une chambre pour trois nuits, le temps de trouver une villa un peu à l'écart du village, à proximité du lagon, où j'avais tout lieu de croire que la gestion de ma disparition s'avérerait plus aisée. L'endroit était intéressant, puisque pendant la nuit et jusqu'au petit matin, nous pourrions nous laisser bercer par le son des vagues. Je décidai que là, je discuterais avec Rosalie de ce que allions faire avant de poursuivre notre chemin.

À quatorze heures, alors que nous défaisions nos valises, elle se tourna vers moi et demanda, d'une voix rauque qui me rappela celle que j'avais entendue le soir de nos premiers ébats :

– Penses-tu que les barmen d'ici connaissent les recettes de cocktails à base de tequila ? J'ai très envie d'un *Slow Mexican Screw*.

– Je peux t'arranger ça, ma belle, répondis-je. T'as pas vraiment besoin d'un barman.

Ma libido monta automatiquement de trois crans, et deux minutes plus tard, nous étions dans les bras l'un de l'autre.

Au crépuscule, nous empruntâmes un sentier qui longeait la mer. Il faisait un temps splendide, et on aurait cru que tous les enfants de Placencia s'étaient donné rendez-vous pour s'amuser, pendant que leurs parents s'échangeaient les derniers potins. Il y avait toute une portion du bord de mer où se suivaient des baraques aménagées très simplement, avec quelques tables où l'on servait des spécialités locales. Le rhum coulait à flots, et le reggae régnait en maître. Nous nous dirigeâmes vers le Pickled Parrot Bar & Grill, un pub dont on m'avait assuré que les propriétaires sauraient nous familiariser avec les us et coutumes du village. L'établissement était fréquenté par les personnages les plus sociables du coin, et par des touristes qui y trouvaient tous les ingrédients requis pour entamer des conversations animées. Sous un toit de chaume, on pouvait y déguster autant le steak de tortue et quelques plats mexicains que des pâtes fraîches. Le bonheur !

À vingt heures, nous avions presque oublié le stress des derniers jours. Satisfaits de retrouver un semblant de sérénité, nous dînions aux chandelles, sur une terrasse où un trio de grands ados à l'allure rasta offrait un reggae fort acceptable, inspiré de *Burning Spear*.

10

Le lendemain matin, Rosalie et moi consacrâmes une trentaine de minutes à nos exercices d'assouplissement quotidiens, avant de nous restaurer. Puis un grand Noir jovial nous emmena explorer les récifs de corail ceinturant *Laughing Bird Caye* et les *Queen Cayes*, distantes d'une vingtaine de kilomètres. Rosalie et moi avions souvent eu l'occasion de pratiquer le snorkeling dans des eaux coralliennes, mais jamais nous n'avions vu jardins aussi splendides. Nous y retournâmes le jour suivant, avant de remonter en pirogue la *Monkey River*, ce qui nous permit de contempler d'immenses bouquets de bambous et d'entendre se quereller des singes crieurs tout en perturbant la sieste d'iguanes géants. Ces sorties nous aidèrent à retrouver une paix intérieure dont nous avions tant soif.

Au retour de nos excursions, nous disposions de tout le temps voulu pour nous consacrer à nos loisirs préférés. Je noircis les dernières grilles de mon recueil de mots croisés et me livrai dans mon hamac à de longues séances de méditation, pendant que Rosalie dévorait un gros polar déniché chez le bouquiniste local tout en éclusant des cocktails. Elle s'était liée d'amitié avec la barmaid du Pickled Parrot et lui avait refilé quelques recettes repérées dans Internet.

J'en vins à remplacer les mots croisés par des mots doux à l'intention de Rosalie, qui était toujours aussi belle et dont j'étais plus que jamais amoureux. Il n'y avait aucun doute dans mon esprit à son sujet : j'allais tout faire pour qu'elle devienne et demeure la femme de ma vie.

Le rythme de vie à Placencia, et le temps dont nous disposions, nous permirent de mieux nous connaître. Un soir, Rosalie me confia qu'en dépit de tous les efforts qu'elle faisait pour ne voir en moi qu'un homme normal et attentionné, elle était encore traumatisée à l'idée que je m'étais rendu à Cancun avec pour mission de l'assassiner. Je dus lui expliquer encore une fois que je risquais ma vie pour avoir reculé, et qu'elle devait me faire confiance : je ferais tout pour la protéger contre Big Joey et ses acolytes mexicains. Elle m'écouta sans dire un mot, mais je compris qu'elle avait besoin d'en savoir bien davantage à mon sujet.

– Avoue que ce ne sont pas tous les hommes qui sont capables de faire ce que t'as fait au cours des dernières années, dit-elle.

– Je suis d'accord avec toi, et je ne le prends pas comme un compliment. Mais je suis loin d'être le seul. T'as déjà croisé plein de tueurs dans des endroits publics, sans le savoir. Tout le monde en croise. La majorité des meurtres enregistrés à travers le monde n'ont jamais été résolus, et ils ont été commis par un nombre incalculable d'individus qui circulent librement, sans jamais avoir été inquiétés. Et puis, tu sais aussi bien que moi qu'il y a des millions de gens, plus que ce que tu peux imaginer, qui ont rêvé un jour ou l'autre de tuer quelqu'un, en dépit des beaux principes de moralité qu'on leur avait inculqués à la maison ou à l'école.

– Dis-tu ça sérieusement ?

– Absolument ! Pense à tous les adolescents et à tous les honnêtes citoyens qui ne demanderaient pas mieux, parfois, que de trucider un père trop strict, un patron trop exigeant ou un voisin trop bruyant, s'ils pouvaient s'en tirer. Pense à tous ceux qui seraient disposés à tuer pour hériter dans l'année au lieu d'avoir à attendre. Tout est question d'intensité, d'occasions à saisir, d'audace. En fin de compte, la peur du flic est probablement plus importante que la moralité ou la légalité. C'est comme quand on dépasse la limite de vitesse permise sur une autoroute, et qu'on finit par ralentir parce qu'on redoute le radar caché.

Rosalie était songeuse, et je compris qu'elle avait du mal à avaler toutes mes rationalisations.

- C'était comment, la première fois ? Qu'est-ce que ça t'a fait ?
- Mon cœur battait à tout rompre, et l'adrénaline pissait par tous les pores de ma peau. J'ai même vomi deux ou trois fois en rentrant chez moi. Mais je me suis senti valorisé. J'ai compris que mes habiletés de tireur d'élite avaient été reconnues par des gens qui n'étaient même pas membres d'un jury, et que je pouvais en retirer un revenu important. J'ai eu aussi le sentiment de rendre service à un homme de pouvoir, en résolvant un problème qui le tracassait, et ça aussi m'a donné confiance en moi. Je devais être très apprécié, parce que Big Joey m'a dit un jour qu'il était content que je travaille pour lui plutôt que pour la concurrence.
- J'imagine que tu devais être vraiment fier de toi ! Tu réglais de gros problèmes, tu simplifiais la vie d'un gros gangster...
- Pourquoi es-tu aussi ironique, Rosalie ?
- Parce que je vois que tu ne te sens même pas gêné d'avoir fait ce que t'as fait.
- J'avoue que, chaque fois que j'ai résolu un problème, j'ai très peu pensé à la morale. L'important, c'était de percevoir ma cible comme un être malfaisant, de trouver la façon la plus simple de lui régler son compte, de m'en tirer, puis de toucher ma récompense en vieux billets.

– Je suppose que tu tremblais, au moins, quand tu visais tes cibles ?

– Après, oui. Mais j'ai jamais tremblé en tirant. Jamais ! C'est pour ça que j'ai toujours été un bon tireur, un tireur fiable.

– Et combien de types t'as éliminés, comme ça ?

– Tu vas peut-être me traiter de menteur, Rosalie, mais je n'ai jamais compté. En tout cas, ils ont été moins nombreux que tu pourrais le penser. Et dans tous les cas, c'étaient des fumiers. Tous les gars que j'ai frappés étaient des mafieux, qui gagnaient leur vie en vendant de la drogue aux enfants des autres, en exploitant des prostituées et en ruinant des joueurs compulsifs.

– Je vois. Au fond, tu faisais régner la justice en éliminant des salauds, tout en étant payé par le chef des salauds. Belle mentalité ! Il devait tout de même y avoir des pères de famille parmi ces gars-là ?

– C'est certain, oui. Mais je les voyais pas comme ça. Ils étaient jamais à la maison. Pendant qu'ils sautaient des filles à toute heure du jour ou de la nuit, ce sont les mères qui devaient s'occuper des enfants, en plus de faire tout le reste dans la maison.

– Tu trouves pas que tu simplifies, Réal ? T'as vraiment aucun remords d'avoir éliminé ces gars-là ?

Il y avait longtemps qu'on m'avait parlé sur ce ton, sauf pour Vito, et notre conversation ressemblait de plus en plus à un interrogatoire en règle. Mais je trouvai tout à fait normal qu'elle ait cherché à mieux me connaître.

– Écoute-moi bien, Rosalie. Ce que j'ai fait, c'était pour régler les problèmes des autres, pas les miens. Je rendais un service, et on me payait pour ce service. Comme toi et moi on paye des militaires et des mercenaires armés jusqu'aux dents pour aller régler toutes sortes de problèmes, vrais ou faux, en Afghanistan ou ailleurs. Sauf que moi, ça ne me traumatisait pas, et je n'ai jamais eu besoin de raconter ma vie à un psy.

– Es-tu croyant ?

– Non, mais je ne vois pas le rapport. Comme tout le monde, j'ai été infecté par la religion quand j'étais jeune, j'ai même été servant de messe, mais je m'en suis sorti vers l'âge de dix-sept ou dix-huit ans. De toute façon, la religion et la moralité n'ont jamais été associées dans mon esprit. Et pour moi, ce qu'on appelle « Dieu » est parfaitement inconcevable, alors je me complique pas la vie avec ça.

– Et la prison ? T'as bien dû avoir peur d'y aller ?

– Jamais. Et je n'y suis jamais allé. Je n'ai pas de casier judiciaire. Il n'y a que les amateurs qui moisissent en taule, les types qui boivent, qui se droguent et qui bricolent n'importe quoi en se pensant plus intelligents que les autres, au lieu de se trouver du travail et de vivre comme tout le monde, en exploitant leurs vrais talents. Moi, je suis compétent, et ça ne m'a jamais même effleuré l'esprit que je pourrais me faire prendre. Je te l'ai déjà dit, je prévois l'imprévu. J'identifie des risques, je les examine de fond en comble, puis je trouve des façons de les contourner ou de les éliminer, un à un. Tu dois savoir aussi que j'ai appris à me tenir en forme, sans avoir besoin de fréquenter les gymnases, et à faire un tas de choses qui ont rien à voir avec le tir au pistolet, parce que je voulais être plus efficace et mieux me protéger, au besoin.

– Des choses comme quoi ?

– Des techniques à mains nues, comme toi, mais aussi des techniques d'enquête policière et de surveillance, le crochetage des serrures... Il y a toute une documentation sur ces choses-là. J'ai même appris à provoquer des accidents, de faux suicides,

des crises cardiaques. La seule chose que j'ai jamais pu me résoudre à faire, c'est d'utiliser une arme blanche.

Je songeai au long couteau que Rosalie transportait dans son sac, à Cancun, et avec lequel elle avait voulu se protéger de moi lorsque je l'avais informée de mes intentions premières. Et je me demandai si elle aurait eu le cran de l'utiliser.

– Tu sembles être vraiment fier de ce que t'as accompli. Mais j'espère que t'as pas l'intention de continuer à exercer ton métier, parce que si c'est le cas...

– Je suis contrebassiste, Rosalie, et si je continue à exercer un métier, ce sera celui-là. Est-ce que t'aimes le jazz cool, au moins ?

– J'adore. Et tu peux pas savoir à quel point je brûle d'envie de t'entendre jouer.

– Ça viendra. J'ai vraiment hâte de m'y remettre. Mais pour le moment, j'aurai peut-être pas le choix de frapper un type ou deux, comme je l'ai fait pour Alfonso, pour La Fouine et pour Gringalet. Strictement pour des raisons de légitime défense. Je signale d'ailleurs, encore une fois, que c'est toi qui m'as préparé Gringalet...

– Je l'ai assommé, oui, mais c'est pas moi qui l'ai achevé. Change pas de sujet, Réal.

– Rosalie, j'ai l'impression que tu me prends pour un psychopathe, et j'aime vraiment pas, parce que je sais que j'en suis pas un. Un psychopathe, c'est un gars qui est capable de tuer ou de blesser n'importe qui dans n'importe quelles circonstances. C'est quelqu'un qui voit pas la différence entre le bien et le mal. Et je suis pas comme ça. Quand j'étais enfant, je n'ai jamais été pyromane, et je n'ai jamais martyrisé des animaux. Un tueur psychopathe peut être ami avec sa cible avant de la liquider, sans que ça lui complique la vie. Moi, je serais incapable de le faire. Au contraire, j'ai toujours cherché à dépersonnaliser mes cibles, à les considérer presque comme des choses, sans nom et sans visage. D'ailleurs, j'ai déjà passé un test qui a montré que j'étais pas psychopathe.

– Quel genre de test ?

– Ce serait trop long à expliquer. C'était dans un bouquin.

– T'as tout de même été tueur à gages, pendant des années. Il faut bien nommer les choses par leur nom ! On te demandait de tuer quelqu'un que tu ne connaissais pas, et tu le faisais, parce qu'on te payait. Comment pouvais-tu faire ça ?

– Je suis convaincu que la première fois, c'était pour venger mon oncle Maurice, qui était comme un père pour moi et qui a été tué par un bandit. Et les autres fois aussi, peut-être, sans trop le savoir. Il était dans la police, et je pense qu'il m'est arrivé de me mettre dans la peau d'un policier honnête qui en a assez de faire rire de lui à cause de toutes sortes de lois complaisantes sur les droits et les libertés, ou à cause des bandits qui sortent de prison après quatre ou cinq mois avec un grand sourire baveux. Il faut bien dire aussi que, chaque fois, je trouvais que la récompense justifiait le risque. Je n'ai jamais été du genre bénévole.

L'interrogatoire se poursuivit sur le terrain de mon enfance. Rosalie apprit que je n'avais jamais connu mon père, que je n'avais ni frère ni sœur, et que ma famille immédiate se limitait en tout et pour tout à ma mère, une citoyenne influente et respectée de Saint-Tite que je visitais quatre ou cinq fois par année.

– Avais-tu beaucoup d'amis, quand t'étais jeune ?

– Beaucoup, non. J'étais poche au hockey et au baseball, et je préférais me promener dans la nature. Mais j'ai eu au moins deux grands amis, même si j'étais plutôt renfermé sur moi-même. Ma mère disait qu'on apprend beaucoup plus en écoutant et en lisant qu'en parlant. Alors je parlais peu et je lisais plein de livres. J'ambitionnais même d'écrire un roman, quand je serais grand et que j'aurais des choses à raconter. Pourquoi tu demandes ça ?

– Parce que je veux te connaître, savoir d'où tu sors. T'as jamais eu envie d'avoir une vraie famille, avec des enfants ? Et une maison ?

– Pas vraiment. J'ai toujours cherché à être libre, sans dépendre de ce que je possédais, à vivre une suite de petits bonheurs, pas à baigner dans le bonheur avec un grand B. J'ai jamais fantasmé sur les Porsche et les BMW et j'ai toujours mené une vie simple, en me contentant d'un appartement et d'une fourgonnette, à condition qu'il y ait des sensations fortes ici et là pour me convaincre que je suis bien en vie.

– Je parlais de la vie à deux...

– Mon ami Paulo m'a déjà dit qu'il s'ennuyait parfois quand il était seul, qu'il avait souvent envie d'être deux, mais qu'il avait toujours peur de se retrouver trois. C'était la même chose pour moi. À cause de mes activités, j'ai eu deux vies à vivre, et c'était pas toujours simple. Tu m'aurais vu, toi, en train de me lever de table, un soir, pour annoncer à ma femme et mes enfants qu'il fallait que j'aille descendre quelqu'un mais que je rentrerais pas tard ?

– Tu parles du passé, mais as-tu d'autres idées, maintenant, sur la vie à deux ? Ou même à trois ?

– Depuis que t'es là, je pense que je suis deux, parce que j'aurais beau essayer de m'imaginer tout fin seul, je n'y arriverais pas. Mes priorités ont changé, et je ne pourrais plus vivre seulement pour moi-même. Pour ce qui est de me voir trois, ça, j'y ai pas encore pensé. Je suis pas rendu là.

Le quatrième jour, je dénichai une belle villa en location côté lagune. Le rez-de-chaussée comportait une salle de séjour et une cuisinette. Les chambres à coucher étaient à l'étage, et de la terrasse on avait une vue sur la jungle et quelques magnifiques gerbes de bambous. Le coût de location à la semaine était élevé, mais je décidai de plonger. Il me sembla que ce lieu conviendrait parfaitement au déploiement d'une stratégie menant à mon décès virtuel.

La cuisine de la villa était suffisamment équipée pour me permettre de préparer quelques petits plats qui plairaient à Rosalie. À son insu, je dénichai sur un site de gastronomie thaïlandaise une recette de bœuf à l'ail et au poivre d'une simplicité désarmante, et dont tous les ingrédients étaient disponibles chez Wallen's, l'épicier du village. Rosalie apprécia d'autant plus mon plat qu'il était précédé d'un *Mexican Asshole* carabiné et arrosé d'un *Mékong* maison à base de *Jack Daniels*.

Ce soir-là, je me rendis compte que j'ignorais presque tout du passé de Rosalie, et ce fut à mon tour de la questionner. J'appris qu'elle était issue d'un milieu défavorisé, et qu'elle avait trimé très dur pour s'en sortir.

– J'ai eu cinq frères et un demi-frère, et ils étaient tous membres d'un gang de rue, à Saint-Léonard. Ils s'appelaient « Les Invincibles », ce qui était excessivement provocateur dans un milieu où deux autres gangs cherchaient à faire la loi. J'étais fille unique et j'étais très proche d'eux. On partageait beaucoup d'idées. J'aurais voulu faire partie du gang, mais les règlements l'interdisaient, et ça m'a beaucoup frustrée.

– Pourtant, t'es loin d'avoir l'air d'un garçon manqué.

– Je ne le suis pas non plus. Mais j'étais tellement proche de mes frères et de mon demi-frère qu'un jour, je leur ai dit qu'un prof qui me harcelait depuis longtemps avait cherché à me violer, et ils lui ont cassé une jambe et un bras. La situation à l'école a tellement dégénéré par la suite que j'ai abandonné, et je suis allée travailler comme serveuse dans un restaurant.

– C'est là que t'as commencé à suivre des cours d'autodéfense ?

– Oui. Et ensuite, de jiu-jitsu. Comme toi, d'ailleurs, j'en suis sûre. Je t'ai pas cru quand t'as mentionné le *shuto* et le *hiza geri* que j'avais administrés à Gringalet, en disant que t'avais seulement appris ces termes-là par cœur. C'est quoi, ton niveau ?

– On peut rien te cacher. Je suis ceinture noire, et tu me dois respect et vénération. Mais on verra ça plus tard. Pour le moment, je veux seulement t'entendre parler de toi, de qui tu es.

– Si tu veux. Alors, par la suite, j'ai eu ma part de petits boulots et de déceptions amoureuses, et j'ai eu tendance à envelopper tout ça dans la coke. J'en suis venue graduellement à fréquenter des gars du milieu, et comme j'avais appris à faire rouler un petit restaurant, je me suis retrouvée gérante de celui de Big Joey. En gros, c'est ça, mon passé.

– Je sais déjà que t'as fait beaucoup plus que ça. C'est pas tout le monde qui va deux fois en Thaïlande avant même de fêter ses trente ans. T'as l'esprit ouvert, t'es curieuse, tu t'intéresses à d'autres façons de penser et de vivre… Mais je voudrais savoir comment t'en es venue à détester Big Joey. L'autre jour, tu m'as dit que c'était une longue histoire. Qu'est-ce qui est arrivé, au juste ?

– En réalité, l'histoire est simple. C'est à cause de ce qu'il a fait subir à mon demi-frère Mathieu l'an dernier. Mathieu travaillait sur une livraison de coke avec un soldat de Gio Conte, et les choses ont mal tourné. Quelqu'un avait alerté les flics, et le partenaire de Mathieu s'est fait pincer. Il a prétendu que Mathieu était un délateur, que c'était lui qui avait fait avorter la livraison, et que c'était pour ça qu'il n'avait pas été arrêté lui aussi. Big Joey et le vieux Rastelli ont avalé ça, et ils ont envoyé quelqu'un pour le tabasser. Il a fini par perdre deux doigts et l'usage d'un œil.

– Big Joey savait que Mathieu était parent avec toi ?

– Oui. Mais ça ne l'a pas dérangé du tout. Quand j'ai su ce qui s'était passé, je me suis jurée qu'il le paierait un jour. Pour le moment, j'ai pris du cash qui lui appartenait, mais c'est pas fini. La prochaine fois qu'il va entendre parler de moi, il va regretter d'avoir fait massacrer Mathieu.

– T'es pas en mesure de faire parler de toi, Rosalie. T'existes plus !

– Je sais. Mais il va quand même entendre parler de moi.

Nous discutâmes de ses projets dans la restauration. Elle était d'avis que le plus sage serait sans doute de faire tourner un restaurant moyennant un salaire de base enrichi d'un pourcentage du chiffre d'affaires, ou même de louer un établissement avec option d'achat, si un investissement s'avérait justifié. Rosalie songeait à une formule axée sur la fusion des cuisines italienne et thaïlandaise. Je m'imaginais pour ma part gérant le bar et animant ma contrebasse en compagnie d'un pianiste, si j'étais en mesure d'en dénicher un bon. Je n'avais que trente-quatre ans, et il fallait bien que je continue à exercer mon métier de contrebassiste. Je me souvins de ce qu'avait dit mon oncle Maurice, un jour où nous chassions la perdrix : « L'oisiveté est la mère de tous les vices ».

Rosalie et moi étions parfaitement d'accord sur l'idée d'aller vivre dans un pays inondé de soleil, et là où il y aurait de longues plages. Restait à trouver le petit coin de paradis qui nous était destiné. Et la façon d'y recycler nos fonds, pour mieux les faire travailler à notre avantage.

11

Le colis que je m'étais expédié par la poste depuis Belize City avait mis deux jours à franchir les cent cinquante kilomètres de mauvaise route qui séparaient la capitale de Placencia. J'allai le récupérer avec un peu d'appréhension, et constatai avec soulagement que la postière n'avait pas tiqué lorsque je lui avais décliné mon identité. Elle me tendit la boîte et me souhaita bonne journée. J'allai immédiatement ranger mon colis tout au fond d'un placard situé dans un coin de la grande chambre que je partageais avec Rosalie. J'étais maintenant prêt à faire face à de dangereuses éventualités.

Soucieux d'être mieux préparé dans l'hypothèse où un homme de Sanchez ou de Big Joey se pointerait à Placencia pour me faire la peau, je passai la matinée à explorer le village dans ses moindres recoins, notant au passage le point d'origine, l'orientation, la longueur et le point de destination de chaque allée et de chaque sentier. Je repérai en outre quelques structures où il me serait possible de me dissimuler au besoin, en prenant soin d'exclure le commissariat de police, où on risquait de me poser trop de questions indiscrètes. Lorsque j'eus terminé, je m'arrêtai au Barefoot Beach Bar où j'esquissai, pour mieux m'en souvenir, un plan assorti de diverses indications.

Nous étions à Placencia depuis cinq jours. La vie était plutôt belle, mais je nous imaginais mal vieillissant au Belize, et je savais qu'il allait falloir accélérer le processus de mise à mort que j'avais en tête. Tout compte fait, je pouvais me mettre à l'abri de deux façons : soit en faisant croire à Big Joey que j'étais de l'histoire ancienne, moi aussi, soit en le menaçant des pires calamités s'il m'arrivait quelque chose. Dans le premier cas, il fallait attirer un homme de main à Placencia, lui tendre un piège et le blesser gravement, puis, avant de l'achever, lui faire annoncer *in extremis* à la famille qu'il avait exécuté son contrat. Dans le deuxième cas, il fallait que je dispose d'informations incriminantes pour Big Joey et ses lieutenants, et que j'imagine un plan d'attaque.

J'avais du mal à voir quelles informations je pourrais utiliser sans m'incriminer moi-même. Par ailleurs, je me trouvais dans une situation où l'accès aux diverses escouades policières occupées à monter un dossier sur la mafia montréalaise posait plus de problèmes qu'il n'offrait de solutions. Quant au premier scénario, j'en voyais bien les éléments de base, mais toutes sortes de variantes étaient possibles, et les chemins qui se profilaient me semblaient plutôt tortueux. Je décidai de mettre Rosalie dans le coup, sachant qu'elle était une femme de bon jugement et qu'elle saurait m'aider à trouver la façon la plus efficace et la moins risquée de procéder.

Mes activités de tueur à gages avaient toujours été régies par trois règles de base. La première était de n'accepter pour cible qu'un homme déjà lourdement impliqué dans des activités criminelles, et jamais une femme. La seconde était de ne jamais mêler le boulot et les sentiments, et de ne pas m'intéresser indûment au physique, à la personnalité ou aux émotions d'une cible, qui dans tous les cas ne devait représenter qu'un problème à régler, une épine à extirper de la vie de mon client. La troisième était de travailler seul, sans que personne d'autre que moi ne soit engagé sur le coup. En moins de deux semaines, j'avais enfreint les deux premières règles, et je m'apprêtais maintenant à faire fi de la troisième en luttant contre mon ex-client en partenariat avec une ex-cible, au surplus une femme. C'était le monde à l'envers ! Mais je n'avais pas le choix. Mon plan ne pouvait fonctionner que si elle était impliquée.

Il était presque midi lorsque je retournai à la villa. Rosalie s'était nichée au creux d'un hamac en compagnie de Frederick Forsyth, son auteur préféré, « le plus efficace de tous » m'avait-elle assuré, et elle avait faim. J'allai préparer une salade de tomates, déposai deux énormes crabes bleus sur la grille du BBQ, et nous nous installâmes dans un coin de la terrasse pour manger.

– Rosalie, annonçai-je, il faut qu'on discute de mon plan. Après, on verra ce qu'on fait. Ça passe, ou ça casse. Mais il faut qu'on décide aujourd'hui.

– Et moi qui croyais que tu tenais mordicus à te faire zigouiller… C'est ton instinct de survie qui prend le dessus, subitement ?

Lorsque j'avais parlé de mon plan à Rosalie, elle avait paru pour le moins sceptique, et j'entrepris de revenir à la charge en tentant de lui faire comprendre qu'à défaut de disposer d'une arme de dissuasion, c'était ma seule façon de disparaître du radar de la mafia, qui voulait ma peau. Elle me fixa de ses yeux émeraude, et demanda si j'avais beaucoup réfléchi aux fins détails de l'opération, parce que sinon…

– J'ai réfléchi à plusieurs détails, oui. Mais il reste à préciser certains éléments, et j'ai pensé qu'on pourrait faire un peu de *brainstorming* tous les deux. T'es mon nouveau partenaire, et…

– Justement, Réal. Je suis impliquée jusqu'au cou dans une situation dont j'aimerais m'extraire. J'aime bien Placencia, c'est un joli et gentil village, mais j'ai l'impression qu'on tue le temps ici. On tourne en rond. J'ai pas le goût de niaiser. Je veux juste qu'on aille se planquer quelque part, au bout du monde s'il le faut, et qu'on recommence à vivre normalement.

Rosalie fit état des risques rattachés à mon projet, et qu'elle trouvait énormes. Des risques pour moi, mais aussi pour elle, qui était réputée avoir été tuée mais dont un agresseur pourrait signaler la présence à son chef.

– Suppose que l'homme que tu veux attirer ici te repère sans que tu le saches, et qu'il tire en premier. Suppose qu'ils sont deux, et que t'es incapable de t'occuper des deux en même temps. Suppose qu'on me voit, et qu'on signale aussitôt à ton Sanchez que je suis débordante de vie. Suppose que tu rates ton type, ou que tu le tues plutôt que de le blesser. Suppose que...

– Bon. Je vois que j'ai du chemin à faire avant de te convaincre. Alors, tu proposes quoi ? Tu veux qu'on parte d'ici au plus sacrant et qu'on aille se cacher, en espérant qu'ils ne vont jamais nous trouver ?

Un silence nous enveloppa. Je bouillais intérieurement, et Rosalie était songeuse. À la fin, elle me dit, le plus calmement du monde :

– Ton plan est trop risqué, Réal ! Ça n'a pas de bon sens ! J'ai autre chose à te proposer.

– Tu veux qu'on mette le cap cette nuit sur le pôle Sud ?

– Ce ne sera pas nécessaire. Je pense que j'ai l'arme de dissuasion dont tu parlais. Viens à l'intérieur. On sera plus tranquilles.

Elle pénétra dans la cuisine et alla préparer du café, sans dire un mot, pendant que je débarrassais la table et rangeais la vaisselle dans l'évier, impatient d'entendre ce qu'elle avait à proposer. Elle finit par se tourner vers moi. S'appuyant contre le comptoir de la cuisine, elle me fit part de son secret.

– Lorsque j'ai su ce qui était arrivé à Mathieu l'an dernier, et que Big Joey était responsable de ses mutilations, j'ai piqué une rage terrible et j'ai décidé qu'il paierait. Un soir, après la fermeture du restaurant, j'y suis revenue avec un de mes cousins qui travaille dans une agence de sécurité et qui s'est toujours bien entendu avec Mathieu. Il a trafiqué un détecteur de fumée et s'en est servi pour installer au plafond une mini-caméra orientée vers la table habituelle de Big Joey. Ensuite, il a dissimulé sous la table un micro capable d'enregistrer toutes ses conversations. Au cours des mois suivants, lorsque le boss se pointait le midi avec quelqu'un, surtout avec le vieux Rastelli mais aussi avec des promoteurs ou des avocats plutôt véreux, j'activais le système et ils étaient filmés et enregistrés sans le savoir. Chaque semaine, je suivais à la lettre les instructions de mon cousin : j'éliminais ce qui paraissait peu utile, et j'enregistrais sur un DVD toutes les informations qui semblaient être incriminantes pour la famille. Avant de m'enfuir, j'ai tout récupéré. Il y a cinq DVD, et ils sont planqués dans l'une de mes valises. Je suppose qu'au point où j'en suis, je peux te faire confiance.

La déclaration de Rosalie m'avait pris complètement par surprise, et tout ce que je réussis à faire, pendant de longs moments, ce fut de la contempler avec une admiration toute béate. Puis, rongé par une curiosité insupportable, je finis par articuler :

– On pourrait visionner les CD ensemble ? Je brûle de savoir ce qu'il est possible d'en tirer.

– Pourquoi me demandes-tu ça ? J'ai déjà répondu à ta question, Réal.

J'examinai le lecteur rangé sous le téléviseur et décidai de le tester au moyen d'un vieux film de Bruce Willis trouvé chez le bouquiniste, avant d'y engloutir les précieuses pièces à conviction que Rosalie avait si patiemment élaborées. Le fonctionnement du lecteur s'avéra impeccable.

Le visionnement du premier DVD me confirma déjà certaines réalités dont je me doutais pour en avoir vaguement entendu parler. Ce disque à lui seul contenait des informations capables d'incriminer sérieusement Big Joey et son *consigliere*. Il y était question d'un peu de tout : trafics de drogue, *bookmaking*, maisons de jeu, possession de fonds en voie de blanchiment, extorsion, protection et utilisation de la violence.

Deux heures plus tard, nous avions visionné les deux CD suivants, dont le contenu était encore plus prometteur. Les échanges se faisaient surtout en italien et en anglais, mais il n'était pas difficile de comprendre ce qui se disait, Rosalie et moi ayant acquis au fil des ans une connaissance élémentaire de l'italien. Certaines expressions posaient quelques difficultés, mais le contexte dans lequel elles étaient utilisées permettait de deviner de quoi il était question. Lorsque Big Joey parlait de filles et de prostituées de trente et trente-deux ans, je savais, pour avoir souvent entendu les trafiquants utiliser les termes « *girls* », « *ladies* » et « *putana* » en référence à la cocaïne, qu'il était question d'importation de cette drogue et d'argent. Les âges indiquaient les prix de vente de la cocaïne, soit trente mille ou trente-deux mille dollars le kilo.

On entendait Big Joey expliquer à son *consigliere* pourquoi, depuis le 11 septembre 2001, la fête était terminée (« the party is over »). Les gros chargements de cocaïne ne pouvaient plus être réceptionnés comme jadis à l'aéroport Montréal-Trudeau, dans des valises facilement reconnaissables par des préposés à la solde de la famille. Il fallait maintenant utiliser l'aéroport seulement pour quelques petits chargements, et faire passer les stocks importants dans des semi-remorques, en empruntant de préférence deux ou trois petits postes des Cantons de l'Est où les douaniers étaient faciles à manœuvrer.

Sur le troisième DVD, on voyait Big Joey et son *consigliere* discuter de la façon de mettre la main au collet d'un financier au nom bizarre, spécialiste des investissements sur marge aux Bahamas dans des produits de base. Plusieurs membres importants de la famille lui avaient confié de petites fortunes à des fins de blanchiment, et il avait promis des rendements de trente pour cent, mais tardait à rendre la monnaie. Rastelli proposait de faire saisir tout simplement deux ou trois propriétés appartenant au financier, tandis que Big Joey était d'avis qu'il faudrait lui casser les jambes pour le décider à rembourser les mises.

Plus loin, les clients de Rosalie cherchaient à faire le point sur certaines affaires et régler des litiges, internes ou autres. Il était question d'affaires de disparition, d'enlèvement et d'extorsion, de chicanes entre mafieux, de menaces à proférer, de rançon et d'opérations de représailles à l'encontre de gangs rivaux, de commerçants qu'il fallait mettre au pas, d'entrepreneurs impliqués dans des transactions immobilières avec certaines régies municipales, de contributions à des caisses électorales, d'avocats bien connus et qui avaient toujours été hors de tout soupçon, et même d'un ministre qualifié de « friend of ours ».

Il était quinze heures, et je fus d'accord pour remettre au lendemain le visionnement des deux dernières pièces à conviction. Je promis à Rosalie que, pendant qu'elle irait fouiner chez le bouquiniste, je réfléchirais à la façon de tirer le maximum de toutes ces informations.

À son retour, je l'informai du résultat de mes cogitations et fis valoir que, pour utiliser au mieux les DVD, nous aurions besoin de quelqu'un à Montréal.

– Est-ce que je t'ai déjà parlé de mon ami Paulo Lacasse ?

– Je pense que oui, mais je n'en suis pas certaine. Pourquoi ?

– C'est un débrouillard, et un électronicien pas mal futé, en qui on peut avoir totalement confiance. Au moins autant qu'en ton cousin, selon moi.

– D'où est-ce qu'il sort, ton Paulo ?

– C'est un ami d'enfance, qui vit à Longueuil, et la famille n'a jamais entendu parler de lui. Depuis qu'on s'amusait ensemble à Saint-Tite, on a toujours agi comme des frères l'un envers l'autre, et je sais tout sur son compte.

– Et lui ? Qu'est-ce qu'il sait à ton sujet ?

– Presque tout. Il est au courant depuis longtemps pour mon second métier, et j'ai jamais rien eu d'important à lui cacher. Il serait incapable de me faire une jambette. D'ailleurs, il me ressemble beaucoup, au point qu'on nous a souvent pris pour des jumeaux. Qu'est-ce que tu dirais que je l'invite à nous rencontrer ? Je pense qu'il pourrait nous rendre de grands services.

– Nous rencontrer ici ?

– Ici ou ailleurs, mais probablement ici.

– Je te fais confiance, Réal. Mais il faut faire vite. Et j'espère que tu sais ce que ça implique de mettre une autre personne dans le coup.

– Je sais ce que je fais. Je vais lui téléphoner ce soir ou demain matin, à la première heure. Maintenant, je vais juste te dire comment je vois la suite des choses.

– Vas-y. On verra toujours.

– J'ai entendu parler d'une puce électronique qu'il est possible de placer discrètement dans un objet de valeur, ou sur l'objet en question, et qui permet de le suivre à la trace si jamais il est volé. Même à des dizaines de kilomètres de distance. Je suis certain que Paulo connaît ce genre de truc. Tu m'écoutes ?

Rosalie faisait mine de bâiller, pour me narguer. Je continuai.

– Alors, il s'agit que Paulo place des DVD dans mon coffre à la banque, après y avoir fixé la puce en question. Juste pour qu'on soit informés si quelqu'un s'arrange pour les prendre dans le coffre. Ensuite, j'appelle Big Joey, ou Vito, pour l'informer que j'ai dans mon coffre à la banque un tas d'informations qui risquent de mettre son boss dans la *marde* jusqu'au cou s'il m'arrivait quelque chose, et qu'il se passait quarante-huit heures sans que mon avocat à Montréal ait eu de mes nouvelles. Je suis certain qu'ils vont s'arranger pour localiser le coffre au plus sacrant, et trouver une façon de le vider de son contenu.

– T'as vraiment envie d'appeler ton ami Paulo tous les deux jours ?

– Disons deux fois par semaine, et en utilisant une adresse Hotmail, pas un portable. Ensuite, je vais m'arranger pour que la famille sache où je suis. Quand je vais téléphoner à Montréal, je vais le faire en utilisant un appareil local. À moins que mon correspondant soit devenu complètement légume, il va s'apercevoir que l'appel a été fait d'un numéro qui débute par 5016, et il va savoir en moins de dix minutes que 501, c'est le code pour le Belize, et 6, le code régional pour Placencia. C'est certain qu'il va me trouver stupide, mais l'important, c'est qu'il va savoir que je suis à Placencia.

Rosalie me regarda d'un air découragé.

– T'es vraiment une tête de cochon, Réal ! Tes idées fixes n'ont pas de bon sens ! Pourquoi t'es venu jusqu'ici discrètement, en cachette même, pour ensuite vouloir te découvrir et jouer avec le feu ? En plus, ça fait déjà deux fois que tu dois te défendre de quelqu'un qui entre chez toi par effraction, et t'en redemandes. Franchement !

– Le risque serait pratiquement nul, continuai-je. Et ça vaut le coup, parce qu'en bout de ligne, ils vont me croire mort et vont cesser de me chercher.

– Comment peux-tu dire que le risque serait presque nul ?

– La puce va permettre à Paulo de m'aviser aussitôt qu'ils auront mis la main sur les DVD. Sachant que quelqu'un va se pointer dare-dare pour me faire la peau, je vais être en état d'alerte, et mes sept sens vont faire le reste.

– Et tu crois vraiment être en mesure de repérer ce « quelqu'un », qui va chercher à se fondre dans le paysage, et de le neutraliser ?

– Tout à fait. Mais il va me tuer lui aussi.

– Je meurs d'envie de savoir comment. Explique-moi !

– Les contrats comme celui-là sont exécutés surtout le soir ou la nuit. Dans ce cas, il faudra que ce soit la nuit, avec un silencieux, pendant que tout le monde dort. Autrement, le gars risque d'ameuter le village et de se faire embarquer par les flics. Surtout que la seule façon de décamper en douce de Placencia, c'est par avion, au petit matin. Bref, il faut qu'on s'arrange pour être avertis d'une entrée par effraction dans la maison. Tu me suis ?

– Je te vois venir. Un système anti-vol...

– Les alarmes, les gens ne connaissent pas ça ici, mais Paulo est un spécialiste. Ce qu'il faut, c'est un système capable de m'avertir très discrètement, où que je sois, que quelqu'un essaie d'entrer par effraction dans la maison. L'idéal serait un beeper fixé à mon poignet, ou encore mieux, inséré dans mon oreille. Avant que le gars entre dans la maison, tu iras te cacher, et je l'attendrai dans le placard. Quand il apparaîtra sur le seuil de la porte, je le blesserai en le visant dans le ventre, et ensuite je lui ferai lire au téléphone un texte que j'aurai préparé pour informer Big Joey que le contrat a été honoré.

– C'est tout ?

– Presque. Quand j'informerai Paulo de ma mort, il prendra le jeu de DVD qu'il aura conservé dans son propre coffre et le remettra à la police. La famille comprendra plus tard que c'est toi qui avais tout enregistré, et ce sera ta vengeance *post mortem*.

– Réal, ce que tu racontes là pourrait peut-être inspirer un beau film d'action arrangé par le gars des vues, mais ça ne peut pas marcher pour vrai. C'est même complètement farfelu, pour ne pas dire imbécile. Je continue de penser aussi que tout ça comporte trop de risques. Les échanges de coup de feu sont toujours trop risqués. T'en as eu encore la preuve à Chetumal, quand le grand a failli d'atteindre en pleine face.

Las d'entendre Rosalie formuler toutes ses mises en garde, je finis par me résoudre à abandonner le scénario de l'exécution simulée, et à me concentrer sur le sort qu'il faudrait réserver aux pièces à conviction.

Ce soir-là, nous dînâmes encore une fois au Pickled Parrot. Au moment où on nous apportait le dessert, je balayai la salle du regard et sentis mon niveau d'alerte grimper d'un cran. J'avais ratissé le village ce matin-là en ayant en tête la possibilité d'être filé, et en mesurant toute l'importance d'une bonne connaissance des lieux qui me permettrait de semer un poursuivant, que j'imaginais bien davantage sous les traits d'un Mexicain que sous ceux d'un gars de Saint-Léonard. C'est probablement à cause de cet exercice préalable que je repérai tout naturellement le Mexicain vêtu de bleu qui venait de s'attabler à l'autre bout du restaurant. J'eus l'intime conviction, non seulement qu'il nous épiait, mais que le correspondant avec lequel il s'entretenait sur son portable était un gars de Sanchez. Il avait tout de l'espion classique, avec son journal qui lui tenait lieu de paravent et la façon qu'il avait de pencher la tête comme s'il ne s'intéressait qu'au menu qu'on lui avait apporté.

Mon rythme cardiaque s'accélérait, et il fallut bien que je me rende à l'évidence : on savait maintenant que nous étions à Placencia, on savait que Rosalie était vivante, et on attendait vraisemblablement le moment propice pour nous faire la peau, à tous les deux.

Le Mexicain était seul, mais rien n'excluait que Sanchez ait dépêché une équipe à Placencia. Lentement, avec l'air de quelqu'un qui vient de découvrir les merveilles de l'architecture locale, j'explorai visuellement les alentours à la recherche d'un autre homme dont l'allure me semblerait suspecte et annoncerait la mise en place d'un piège. Personne ne me parut déplacé, et aucune autre alerte ne se déclencha en moi. Je jetai discrètement un coup d'œil en direction de l'homme en bleu, dans l'espoir qu'un second regard me forcerait à conclure que j'avais été victime d'une hallucination. Mais ce n'en était pas une, j'en étais maintenant certain.

– Réal, qu'est-ce qui se passe ? T'as l'air tout perdu dans tes pensées.

– Effectivement, dis-je, je finissais de me convaincre qu'il valait mieux centrer notre stratégie sur les preuves que t'as accumulées.

– Tu penses trop, dit-elle. Essaie de te changer les idées.

– T'as raison. Je dois cesser de stresser et m'amuser un peu. Après tout, on est en vacances, pas vrai ?

12

La banane flambée au rhum était délicieuse, mais je n'avais plus faim. Je réclamai l'addition tout en confiant à Rosalie que je me sentais mal et qu'il fallait rentrer d'urgence. Je réglai en vitesse, et cinq minutes plus tard, nous atteignions la villa, dont les abords paraissaient ne pas avoir été envahis par une horde de hors-la-loi. Je m'assurai que nous n'avions pas été suivis, bloquai la serrure de la porte principale et, sans allumer, informai rapidement Rosalie de ce qui se passait.

– Au moment où Laura nous servait le dessert, j'ai repéré un cousin de Gringalet, qui venait de s'installer tout au fond de la salle. J'ignore s'il travaille seul, ou s'il est simplement un fouille-merde qui s'est fait accompagner d'un exécuteur. Mais je l'ai vu utiliser son portable, et c'est mauvais signe. Les Mexicains doivent savoir maintenant qu'on est là, tous les deux. Je vais aller dehors, pour attendre et essayer de voir ce qui se trame, parce que mon petit doigt me dit qu'autrement, on risque d'avoir de la visite.

– Tu veux que je reste ici, à l'intérieur ?

– Va à l'étage, et ne bouge pas. Je veux dire, ne te montre pas, n'allume pas, et ne fais pas de bruit.

Je montai à la chambre avec elle, revêtis un tee-shirt noir et me couvris la tête d'une casquette noire que notre guide de snorkeling m'avait offerte lors de notre première excursion. Je m'emparai du pistolet, auquel le silencieux était déjà vissé, et le plongeai dans mon pantalon. Puis j'embrassai Rosalie en lui renouvelant mes recommandations, et descendis au rez-de-chaussée où je saisis au passage un rouleau de ruban adhésif entoilé, dont j'avais noté la présence la veille sous l'évier de la cuisine. Discrètement, je sortis par la porte de derrière, contournai à moitié la villa, et me dissimulai derrière un gros buisson pour faire le guet. Le réverbère le plus proche éclairait faiblement le sentier qui passait devant moi, et aucune lumière ne filtrait des maisons voisines, dont la plus proche était éloignée d'une bonne cinquantaine de mètres.

Celui que j'avais repéré au restaurant s'amena environ quarante minutes plus tard, et mon cœur se mit à battre de plus en plus fort. Avant de commettre quoi que ce soit, il allait falloir que je m'assure qu'il s'agissait bien d'un homme de Sanchez. Le type tourna la tête en direction de notre villa et allait continuer, sans ralentir la cadence, lorsque je me levai et le hélai d'une voix ferme mais quelque peu feutrée. Son regard se fit plus vif, il écarquilla les yeux, et se figea sur place, l'air affolé. Je fis quelques pas dans sa direction, en écartant les bras. Il s'arrêta, balaya des yeux le voisinage, puis me fixa, ne sachant visiblement pas s'il devait m'attendre ou déguerpir. Je compris qu'il était en état d'hyperventilation.

– Content de te voir enfin, amigo ! lançai-je. J'aurais aimé te parler au restaurant, mais il y avait trop de monde. J'ai un message urgent pour Porfirio Sanchez. C'est très important !

Le Mexicain hésitait, parfaitement décontenancé. Ses lèvres remuèrent, mais je n'entendis rien. Voyant que je continuais d'avancer, il finit pas répondre :

– Quel message ? Il est trop tard pour parler au *Jefe*.

– Quoi ? Il lui est arrivé quelque chose ?

– Ce n'est pas ce que je voulais dire.

Je me tenais maintenant à un mètre de lui. Il avait esquissé un mouvement de la main vers le revers de sa veste, mais ne jugea pas nécessaire de poursuivre son geste.

– Ton partenaire est là ? Il faudrait qu'il soit au courant, lui aussi, pour le message. Est-ce qu'il est arrivé ?

– Il sera là demain.

– T'en es sûr ? Ce serait pas lui qui s'amène, là-bas ?

Je regardais par-dessus son épaule. Au moment où il se retourna, je lui balançai un direct au plexus solaire. Ses jambes fléchirent légèrement, et il laissa échapper un hoquet. Passant rapidement derrière lui, je glissai mon bras autour de son cou et serrai de toutes mes forces, faisant pression sur sa carotide mais aussi sur sa trachée, pour interrompre l'afflux de sang à son cerveau. Il se débattit pour tenter de se libérer de l'étau, mais finit par s'affaisser. Je le laissai tomber, m'agenouillai près de lui, lui plaquai une main sur le menton tout en empoignant de l'autre sa tignasse, puis effectuai un mouvement de rotation d'un coup sec. J'entendis son cou craquer, et il cessa de bouger. Je le fouillai rapidement. Ses poches ne contenaient aucune pièce d'identité. Un petit Beretta était niché dans un holster fixé à son épaule, sous sa veste. Je décidai de ne rien toucher. Je me levai et jetai un coup d'œil devant, puis derrière. Le voisinage était aussi paisible que le cimetière de Saint-Tite en janvier.

Il allait falloir que je cache sans tarder les restes de ce demeuré, pour ne pas courir le risque qu'on me voie à proximité de son cadavre. Je traînai la masse jusqu'à l'escalier qui donnait accès au rez-de-chaussée de la villa, pour la dissimuler aux regards de quiconque aurait l'idée de s'aventurer dans les parages. Il était hors de question que je l'abandonne sous la maison, à cause des chiens errants qui ne pourraient manquer d'être attirés par sa puanteur – surtout que ses intestins s'étaient vidés, comme ceux de mon premier contrat dans les toilettes de la brasserie sur la rue Frontenac. En réalité, j'avais avantage à faire disparaître complètement le cadavre, pour éviter que les hommes de Sanchez ou les policiers du coin soient en mesure d'établir un lien entre lui et moi, ou même entre lui et la villa que Rosalie et moi occupions. Me retrouver avec Interpol aux fesses à l'autre bout du monde était bien la dernière chose que je voulais. Il fallait, idéalement, que le cadavre ne puisse jamais être identifié. Je pouvais l'enterrer dans le sable, sous la maison, ou je pouvais le balancer dans la lagune, auquel cas les crocodiles ne manqueraient pas de s'en régaler.

Je trouvai sous la villa, entre deux pilotis, une vieille bâche dans laquelle je pensai envelopper le Mexicain. C'est lorsque j'entrepris de la récupérer qu'apparut, à mes pieds, ce qui ne pouvait être que le couvercle d'une fosse septique. Je soulevai le couvercle et le déplaçai. Puis, réprimant tant bien que mal mon envie de vomir et le tremblement de mes mains, je m'emparai du cadavre et le transportai jusqu'à l'ouverture de la fosse, tout en m'efforçant de retenir mon souffle. Lentement, j'entrepris de le faire glisser, tête première, dans ce qui allait devenir pour lui un bac de décomposition d'une efficacité redoutable. En moins de trois jours, il serait méconnaissable, et le jour où on découvrirait ses restes – à supposer que ce jour-là arrive – il n'y aurait plus que quelques ossements.

Je m'assurai que le macchabée avait complètement traversé l'épaisse couche de boue qui flottait à la surface de la fosse, replaçai le couvercle, et recouvris le tout avec la bâche, en la disposant de façon à ce que personne ne puisse remarquer qu'elle avait été déplacée.

Encore fébrile, je pénétrai dans la villa et allai trouver Rosalie, pour lui raconter que j'avais réglé son compte au Mexicain.

– J'ai rien entendu. Tu l'as vraiment neutralisé ?

– J'ai attendu pendant quarante minutes. Lorsqu'il s'est pointé, en route vers je ne sais quelle destination, j'ai établi le contact avec lui et j'ai su aussitôt que j'avais affaire à un attardé. En moins d'une minute, sans que je le menace et sans même qu'il s'en rende compte, il m'a confirmé qu'il travaillait pour Sanchez, avant d'annoncer que Pancho la Gâchette allait s'amener demain. Je lui ai décoché un *Tsukkake*, et j'ai enchaîné avec un *Hadaka-jime*. Finalement, j'ai eu pitié de lui et l'ai libéré en lui tordant le cou. Il a chié dans son pantalon comme c'est pas possible.

Rosalie m'observait depuis le début, sans dire un mot, imaginant sans doute assez facilement tous les détails de la scène. Elle finit par demander :

– Où est-il, maintenant ?

– Bien au chaud dans la fosse septique.

– T'as pas fait ça ? T'es fou, ou quoi ?

– T'en fais pas. L'arme du crime est introuvable, et la victime elle-même a disparu. Peux-tu imaginer une situation plus simple ?

Rosalie continuait de me dévisager sans dire un mot, et je lus sur son visage un sentiment de profond dégoût.

– C'est fini, annonçai-je. J'avais pas le choix, et il n'y en aura plus d'autre. Maintenant, il faut qu'on déguerpisse. Le gars a utilisé son portable, et Sanchez doit savoir où nous trouver. En plus, on sait maintenant que son comparse doit se pointer demain, et j'ai même pas envie de savoir de quoi il a l'air.

Depuis plusieurs jours, je me demandais comment il allait être possible de recycler la montagne de cash que nous trimbalions dans nos valises, avec tous les risques de vol ou de saisie que cela pouvait comporter. Chacun de nous avait le droit de transporter jusqu'à dix mille dollars en franchissant une frontière, mais il fallait en principe déclarer le reste, ce que nous ne pouvions faire.

J'avais cru qu'en passant par les îles Cayman, nous pourrions y ouvrir des comptes de banque et y créditer tout le cash, mais une recherche sur Google m'avait vite permis de comprendre que cela était impossible. La petite colonie britannique avait beau être la cinquième place financière de la planète, cultiver le secret bancaire absolu, afficher une forte réticence à la coopération judiciaire internationale et adorer les Canadiens, elle se voulait propre, et refuserait qu'un inconnu vienne déposer dans ses coffres l'argent de la drogue ou du trafic d'armes. La situation était claire : il faudrait recycler intelligemment tout ce fric, mais seulement une fois que nous aurions atteint notre destination finale. D'où l'importance de bien choisir notre terminus.

– Qu'est-ce qu'on fait, maintenant ? demanda Rosalie.

– Je pense que, pour brouiller un peu les pistes, un crochet par les îles Cayman est incontournable. C'est à deux heures d'ici. Aucun vol n'est programmé entre Belize City et Georgetown, et on peut gagner du temps en voyageant en marge du réseau commercial. En plus, Georgetown est un important centre financier offshore, ce qui fait qu'on va y trouver des vols sur plein de destinations.

– Tu sais comment on peut affréter un petit avion ?

– Il y a deux ou trois sociétés qui peuvent nous amener là-bas. Il va probablement falloir débourser une bonne somme, mais ça vaut le coup.

– Ça me semble raisonnable. Et ensuite ?

– Donne-moi trente minutes, et je réponds à ta question. Mais tu peux commencer à préparer tes valises. Et tu serais gentille d'appeler immédiatement le proprio pour lui dire qu'on vient de recevoir de mauvaises nouvelles et qu'on doit absolument mettre un terme à nos vacances demain matin. On ne lui doit rien, au contraire. Et on laissera la clef sur le comptoir de la cuisine avant de partir.

J'appelai d'abord les services d'urgence de Tropic Air et pus réserver deux places sur le prochain vol à destination de Belize City, lequel atterrirait à l'aéroport municipal vers huit heures le lendemain matin. Ensuite, je communiquai avec Stratos Jets International, qui avait fait paraître une grande annonce dans le bottin local. On me fit comprendre qu'il était un peu tard pour appeler, mais que l'affrètement d'un appareil ne poserait pas de problème : il y avait justement un Beechcraft et son pilote en stand-by à Belize City. Le décollage pourrait avoir lieu à neuf heures, à l'aéroport international.

– Est-ce que je pourrai payer cash ?

– Aucun problème.

– Acceptez-vous les dollars canadiens ?

– Bien entendu. Prévoyez, disons, deux mille quatre cent dollars.

Il était passé vingt-deux heures, et la plupart des villageois s'étaient retirés pour la nuit, mais je savais que l'ordinateur situé dans le hall du restaurant était disponible jusqu'à vingt-trois heures. Armé de mon pistolet, je retournai là-bas, et fus soulagé de constater que personne ne s'était senti dans l'obligation ce soir-là de raconter sa journée au beau-frère ou à la maman. Je commandai une bière et lançai une recherche sur Expedia. Comme je m'y attendais, les options au départ des îles Cayman étaient nombreuses. L'une était de nous rendre directement à Panama, une autre plaque tournante. Je pensai qu'il s'agirait sans doute d'un bon choix, mais qu'il serait préférable de brouiller encore un peu les pistes. Cayman Airways offrait un vol quotidien sur La Havane, et de là, il était possible d'emprunter l'un des quatre vols quotidiens de la COPA vers Panama City. L'idée de passer deux ou trois jours au pays des frères Castro, et sur une vraie plage, me plut. Pour la suite, on verrait bien.

Il était une heure du matin lorsque je réussis à rejoindre Paulo. Il venait de perdre quelques centaines de dollars au Casino de Montréal, et se préparait à aller au lit en se jurant de récupérer la mise la prochaine fois.

– Désolé de t'appeler aussi tard, mon Paulo.

– Pas de problème, Réal. Je suis même soulagé de t'entendre. Quand ça sonne à cette heure-là, j'ai toujours peur que ce soit ma sœur qui appelle pour me dire que mon vieux vient de rendre les armes.

– Est-ce que ton mal de dents te fait toujours souffrir ?

– C'est réglé. Les travaux de canalisation sont terminés, et mon dentiste va me couronner tout ça aujourd'hui. Qu'est-ce que je peux faire pour toi, au beau milieu de la nuit, comme ça ?

– Je voulais juste te dire que t'es pas mal beurré, parce que t'as gagné un long week-end à Cuba, toutes dépenses payées.

– Avec toi, ou avec ma blonde ?

– Avec moi, malheureusement. As-tu des disponibilités au cours de la semaine qui vient ?

– J'ai deux jobs à finir, mais je pense que ça pourrait attendre.

– Parfait ! Je vais être à Cuba demain, vers le milieu de l'après-midi. Va voir ton agent de voyages et dis-lui de t'expédier demain à La Havane, avec un retour quatre jours plus tard. Apporte un peu d'argent si tu veux, mais je vais tout te rembourser avec du cash. Aussitôt que t'auras ta confirmation, tu me diras à quel moment tu dois poser tes fesses et je te dirai où me trouver à l'aéroport.

– Pourquoi tu fais ça ? T'es mal pris ?

– Pas du tout. Je te raconterai quand tu seras ici. Avant que j'oublie, j'aimerais que tu m'apportes deux ou trois recueils de mots croisés publiés en France. Niveau 3. Tu trouveras ça dans une librairie, ou peut-être même dans un gros dépanneur.

– Avec les réponses à la fin, je suppose ?

– Exact. J'ai pas de dictionnaire, et puis il y a des jours où j'arrive mal à me concentrer. Surtout quand je me mets à râler à cause des montagnes d'anglicismes que nos petits cousins prennent pour du français.

– Autre chose ?

– Apporte ce qu'il faut pour copier des DVD, et une grosse boîte de CD. Tant qu'à faire, apporte aussi un guide de voyage sur l'Asie du Sud-Est. Le dernier *Lonely Planet*, si possible.

– C'est noté. Je te fais signe ce soir. Ça tombe bien, ton invitation, parce qu'il y a une hostie de tempête de *marde* blanche qui doit commencer dans deux ou trois jours, et je demande pas mieux que de sacrer mon camp avant que ça me tombe dessus.

J'expliquai à Paulo que, la confidentialité n'étant jamais sûre à cent pour cent avec les portables, il devait se créer une adresse Hotmail que personne sauf moi ne serait en mesure de lui attribuer, et communiquer avec moi uniquement en utilisant cette adresse. Je lui fis part de celle à laquelle il devrait me transmettre les informations concernant son plan de vol. Je lui souhaitai bon voyage et coupai la communication.

Rosalie, qui avait capté quelques bribes de notre conversation tout en faisant mine de lire, demanda d'une voix excitée :

– Comme ça, on va en Thaïlande ?

– Ça se pourrait. On verra bien, répondis-je.

– Je vais t'aider à décider. Compte sur moi.

Il se faisait tard, et le village tout entier se trouvait plongé dans un silence de plomb. Je m'emparai du pistolet et du reste de mon arsenal, remballai le tout dans la boîte de fer blanc, et ficelai le colis solidement au moyen du ruban adhésif entoilé. Puis je sortis, et allai lancer la boîte le plus loin possible dans les eaux noires de la lagune.

13

Le Beechcraft de location nous amena aux îles Cayman à l'heure dite, sans qu'aucun douanier ne vienne se fourrer le nez dans nos bagages. Dès notre arrivée à Georgetown, Rosalie dénicha une jolie chambre avec balcon dans un petit hôtel situé sur Harbour Drive. Elle régla d'avance, pour une nuit. Dans une agence voisine, j'achetai deux places sur le vol 832 de la Cayman Airways qui partait le lendemain midi à destination de La Havane. Pendant ce temps, Rosalie se rendit dans une succursale de la CIBC où elle échangea des dollars canadiens contre des dollars américains. En quittant l'agence de voyages, j'achetai moi aussi des dollars américains, cette fois dans une succursale de la Banque Royale du Canada. Puis nous allâmes déjeuner dans un humble petit restaurant situé tout au fond d'une rue secondaire. Il ne fallait surtout pas risquer de rencontrer quelque voyageur fiscal canadien qui, pour comble de malheur, serait en mesure de nous reconnaître.

Au dessert, j'appelai le concierge de l'édifice où se trouvait mon appartement, à Montréal, pour demander qu'on casse mon bail avec trois mois de pénalité, parce que je n'allais plus remettre les pieds chez moi, et lui dire qu'il pouvait liquider à son propre avantage tous les biens qui s'y trouvaient. J'ajoutai que j'allais lui expédier une déclaration doublée d'une procuration à ce sujet. En quittant le restaurant, j'achetai une nouvelle carte SIM, en pensant qu'elle pourrait nous être utile à Cuba et peut-être même à Panama City.

En raison de notre situation bien particulière, il n'était pas question d'aller parader sur la fameuse *Seven Miles Beach* ni d'aller nous ébattre dans l'un des plus beaux sites de snorkeling de la planète. Et le centre-ville paraissait ennuyant au possible, inondé qu'il était d'avocats blasés et de comptables rangés. Rosalie n'eut aucune objection à ce que nous mettions le cap sur notre lit. Nous nous y installâmes pour le reste de la journée, chacun de nos sens y trouvant son compte. Vers vingt et une heures, je descendis dans le hall de l'hôtel pour y consulter brièvement Internet. Paulo m'avait laissé un message à ma nouvelle adresse Hotmail : « Rien sur La Havane demain. Plutôt Air Transat 332 arrivée Varadero 19 h 50. Désolé pour la distance et bonne route. P. » Je répondis : « Y serai. Efface ton journal de bord Hotmail. »

Nous arrivâmes à La Havane le lendemain en début d'après-midi. D'entrée de jeu, je me rendis au comptoir de la COPA où on m'apprit qu'un vol de la KLM quittait Panama City quotidiennement, en soirée, à destination d'Amsterdam. J'achetai deux places sur leur vol 247 qui devait partir de La Havane deux jours plus tard vers seize heures. Puis je me rendis au comptoir d'Air France et réussis à acheter deux places sur le vol KLM 758 qui quitterait le Panama exactement trois heures après notre arrivée. Tout baignait dans l'huile.

Puisque j'allais devoir me balader jusqu'à l'aéroport de Varadero, à deux heures de route de la capitale, Rosalie accepta d'explorer la banlieue est de La Havane à la recherche d'un site intéressant. Notre taxi s'engagea sur la route menant à Matanzas, et fit valoir que le coquet village côtier de Santa Maria del Mar, à moins de vingt minutes de la vieille Havane, avait tout pour nous plaire. Il ajouta que sa plage n'avait rien à envier à celles de Varadero. Sans chercher longtemps, je louai pour quatre nuits, à l'entrée du village, une petite villa de deux chambres à coucher située dans un cadre tranquille et devant laquelle s'étirait une superbe plage de sable blanc longue de huit kilomètres.

Nous allâmes nous promener longuement sur la plage, avant de déguster quelques cocktails à base de rhum et des fruits de mer grillés.

En fin de journée, tandis que Rosalie se préparait à faire un saut dans un centre de santé voisin, en quête d'un massage, je louai un taxi et remis le cap sur Matanzas, à la rencontre de Paulo.

Mon ami n'avait pas vraiment changé depuis notre dernière rencontre, deux mois plus tôt, à l'occasion d'un dîner d'anniversaire dans un restaurant de Longueuil. Le voyage de retour nous permit de nous remémorer un tas de bons souvenirs communs. Je me rendais compte à quel point cette proximité d'un ami véritable me manquait, à quel point je m'étais isolé dans mes deux vies parallèles sans raviver régulièrement la braise des souvenirs qui me rattachaient à mon enfance, une enfance paisible écoulée dans un village entouré d'une nature généreuse. Paulo était, à part ma mère, la seule personne capable de me rappeler mes années d'innocence, et les joies simples dont je me nourrissais alors.

– Te souviens-tu du jour où on était partis dans notre cabane avec une bouteille du vin de pissenlit que ton oncle Maurice avait produit ?
– Nos mères nous ont fait chercher partout ! Quand mon oncle nous a trouvés, on dormait, avec la bouteille vide bien en vue. Il n'en a pas parlé à ma mère, mais il s'est dépêché de cacher ses autres bouteilles…
– Ça bat pas la fois où on a volé la moumoute que le curé avait enlevée pour passer sa chasuble… Je l'avais vite fourrée dans mon pantalon et on a juré qu'on savait pas où elle était…

La rencontre entre Paulo et Rosalie fut cordiale, et nous allâmes tous les trois nous promener sur la plage, jusqu'à minuit, en remplissant nos poumons d'air frais et en causant de tout et de rien. La vie était belle.

Le lendemain matin, j'expliquai la situation à Paulo, sans entrer dans tous les détails de ce que Rosalie et moi venions de vivre au Mexique et au Belize. Puis je lui fis visionner le quatrième DVD, le plus parlant, et il finit par émettre un sifflement.

– Ce qu'il y a là-dessus, ça devrait valoir de l'or en barre pour la GRC ! Et tu dis que vous en avez cinq dans le même genre ?

À notre demande, Paulo grava deux copies des cinq CD, puis il copia le quatrième, celui qui présentait le plus d'intérêt. Au moyen d'un stylo gras, j'inscrivis ensuite sur chaque CD : « Confidences de l'Inspecteur Columbo ». Rosalie alla ranger l'un des ensembles dans ses affaires. Je me tournai vers Paulo.

– Aussitôt que tu retourneras à Longueuil, il faudrait que tu te rendes à Montréal pour y expédier le quatrième CD au restaurant La Cucina da Mamma, à Laval, en l'adressant aux bons soins de « Son Éminence Joseph Scalpino ». C'est le p'tit gros à la face de crapaud qu'on voit toujours, assis à la table.

Paulo passa un commentaire peu élogieux à l'endroit du parrain.

– Ensuite, il y a un coffre que je loue depuis plusieurs années dans une succursale de la Banque Royale, rue Sainte-Catherine à Montréal. Il faudrait que tu le vides pour moi, et que tu m'expédies le contenu par DHL ou UPS, éventuellement. Je te ferai signe pour te dire quand et où. En attendant, il faudrait que tu remplaces ce que t'auras pris par un des deux ensembles de DVD que t'apporteras avec toi.

– Mais voyons, Réal, je peux pas faire ça ! Un coffre à la banque, il faut toutes sortes de formalités pour avoir le droit de l'ouvrir. Comment veux-tu…

– On se ressemble beaucoup, Paulo. Rosalie me l'a confirmé, d'ailleurs, aussitôt qu'elle t'a vu. Ton seul problème, c'est que t'as des poils en trop. Une fois que t'auras rasé ta moustache et que tu te seras fait la boule presque à zéro, t'auras l'air d'être mon jumeau, sinon moi. Je suis pas allé à cette banque-là depuis au moins six mois, et personne là-bas me connaît pour vrai. Ils te demanderont peut-être même pas de carte d'identité. Au cas où quelqu'un le ferait, je vais te prêter ma carte d'assurance-maladie et mon permis de conduire, que tu pourras me renvoyer avec le reste. Mais c'est certain que tu vas devoir signer dans le registre, à la suite de mes signatures précédentes.

– C'est là que ça va se gâter.

– Pas du tout ! Une signature varie toujours un peu d'une fois à l'autre, alors je vais signer mon nom dix fois sur une feuille blanche. Ça va te permettre de pratiquer suffisamment pour que ton imitation ressemble en tous points à au moins la moitié de ces signatures. Ensuite, t'auras aucun problème. Dans le coffre, il y a quelque chose comme cinquante mille dollars, que je gardais *for the rainy days*, et…

– Pourquoi t'as planqué ça là ? T'es pas à la bourse ?

– Penses-tu vraiment que je devrais recycler mon cash au Canada ?

– C'est vrai que…

– *Anyway*, tu prendras dix mille dollars pour le service que tu me rends, et tu m'enverras le reste avec les documents. Ça te va comme ça ?

– Réal, c'est pas nécessaire de me payer. Je peux bien te rendre un service, non ? Surtout que tu rembourses toutes mes dépenses pour venir ici. On est des amis depuis longtemps, et c'est pas pour rien, même si tu me fais prendre des risques que j'ai pas l'habitude de prendre.

– Justement. J'insiste. Bon ! On va aller manger des grillades, et ensuite je vais t'expliquer ce que j'ai imaginé pour la suite. Tu me diras si c'est faisable.

Plus tard, tandis que Rosalie lisait sur la terrasse de la villa, j'allai me promener sur la plage avec Paulo, et lui fit part de la seconde partie de mon petit plan.

– Est-ce que ce serait possible pour toi de fixer une puce sur les CD que t'auras déposé dans mon coffre ? L'idée, ce serait qu'on soit avertis si jamais le coffre était ouvert par un membre de la famille.

– Pas de problème. Tu penses que quelqu'un serait capable de faire ça ?

– Tout à fait. Ces gars-là ont des contacts partout, et y a rien qui les arrête. Surtout si je leur dis où chercher…

– C'est quoi l'idée ? Tu veux qu'ils se mettent à te chercher ? T'aimerais pas plutôt qu'ils te foutent la paix ?

– Dans une semaine, je vais appeler un gars de Big Joey pour l'informer que j'ai dans mon coffre à la banque une bombe qui risque d'éclabousser ses patrons s'il m'arrive quelque chose, et que « mon avocat » à Montréal reste trois jours sans mes nouvelles. Je suis certain qu'ils vont s'arranger pour localiser le coffre au plus sacrant, et trouver une façon de le vider de son contenu. Ils se douteront probablement pas que t'as une autre copie. Mais quand tu m'auras informé que la puce a bougé, j'appellerai encore le gars pour dire que je les surveille, qu'ils ont fait une grave erreur, et qu'une autre copie intégrale est disponible, sans ajouter qu'elle est remise à la police. Ça va les énerver, et ils sauront plus quoi faire.

– Tu veux jouer avec le feu, Réal.

– T'inquiète pas. Il m'arrivera rien. Et à Rosalie non plus.

– Ce serait épouvantable qu'il lui arrive quelque chose. Est-ce que je t'ai dit que c'était la plus belle fille que j'aie vue de toute ma vie ?

Au terme de deux courtes journées à Santa Maria, il fallait mettre le cap sur Panama City. Paulo m'informa qu'il profiterait d'un seul des deux autres jours de location déjà payés, avant de retourner à Varadero, parce qu'il venait d'apprendre qu'il devait absolument régler un problème urgent chez un gros client. Dès son retour, il s'empresserait d'expédier l'enveloppe destinée à Big Joey.

– Je vais t'informer aussitôt que c'est fait, dit-il.

– Parfait. Et n'oublie pas d'effacer le journal de bord !

– T'as pas besoin de me le dire, Réal. J'ai l'habitude. Je fais toujours ça quand j'ai complété une transaction sur le site de ma banque.

Le vol au départ de Panama City durait plus de dix heures. Rosalie et moi eûmes tout le loisir de discuter de ce que nous allions faire une fois rendus à Amsterdam. Le mois de décembre était déjà bien entamé, et c'était l'hiver en Europe. Nous n'étions vêtus que pour l'été, et il n'était donc pas question de nous y attarder. Je suggérai seulement que, pour mieux brouiller les pistes, ce serait bien que nous traversions la frontière des Pays-Bas pour nous rendre, disons, à Bruxelles, en train ou en voiture.

Elle fut d'accord, tout en me faisant remarquer qu'il n'y avait aucune véritable frontière entre les Pays-Bas et la Belgique et, qu'en conséquence, notre piste n'en serait pas brouillée pour autant.

– T'as peut-être raison, mais je préférerais quitter l'Europe à partir d'une ville autre qu'Amsterdam. Quoiqu'il en soit, une fois qu'on sera à Amsterdam, on avisera, ajoutai-je.

– Ce sera très simple, déclara Rosalie. J'avise immédiatement. On va trouver la façon la plus rapide de mettre le cap sur Bangkok.

– Je suis du même avis que toi. Tu trouves pas ça merveilleux qu'on arrive presque toujours aux mêmes conclusions ?

– Tu te racontes des histoires si tu penses ça, Réal.

– J'essaie seulement d'avoir parfois des idées originales. Ce serait mortellement ennuyant s'il fallait qu'on pense continuellement la même chose, tous les deux.

– C'est pas possible comme tu peux avoir l'esprit tordu !

– Au fait, tu permets que je jette un coup d'œil au *Lonely Planet* que Paulo a apporté ? Ça m'évitera d'avoir à poser trop de questions idiotes.

À Amsterdam, on nous informa qu'un train quittait l'aéroport cinq fois par jour à destination de Bruxelles, et que le trajet durait environ trois heures. Une heure plus tard, nous étions à bord du train.

Le lendemain matin, au terme d'une longue nuit au Sheraton de l'aéroport international, je trouvai à acheter des places à bord d'un vol Lufthansa à destination de Munich, puis d'un vol Thai Airlines qui nous amènerait à Bangkok. Rosalie fut ravie d'apprendre qu'elle se retrouverait en Thaïlande avant même d'avoir quitté le sol européen. Juste avant de quitter l'hôtel, je pus prendre connaissance d'un message que Paulo venait de m'expédier : « Il fallait que j'aille à Mascouche ce soir, et c'est de là que j'ai expédié l'enveloppe au Cardinal. Je brûle d'envie d'aller manger à son resto demain, juste au cas où je pourrais lui voir la face. Mais t'en fais pas, je vais rester loin. Et j'aurai vidé le journal de bord dans deux minutes. Merci pour le week-end, et bon voyage à vous deux. Tiens-moi au courant. Embrasse deux fois ta blonde pour moi. Trois fois, même ! P. »

J'informai Rosalie de la teneur du message de Paulo, et décidai d'appeler aussitôt Vito. J'utilisai l'Ericsson T230 muni d'une carte

SIM achetée la veille, laquelle donnait à l'appareil une toute nouvelle identité. En entendant ma voix, Vito se mit à m'injurier, utilisant toute une panoplie de termes empruntés aux trois langues avec lesquelles il était plus ou moins familier. Je le laissai se défouler. Finalement, il reprit son souffle, et je pus lui transmettre mon message.

– Écoute-moi bien, Vito. Big Joey va recevoir par la poste à La Cucina, demain, un tout petit échantillon extrait d'une grosse, grosse preuve accumulée contre lui par Rosalie, avant que je la refroidisse. J'ai trouvé ça dans ses affaires quand je cherchais la clé du coffre.

– T'es un menteur, *man. We know she's alive* ! Quel genre de preuve ?

– En regardant bien au plafond du restaurant, et sous sa table, ton boss va voir tout de suite comment il s'est fait piéger, comme un gros épais, et par une femme en plus. *Capisce* ?

– *You fucking asshole ! I'm gonna crucify you guys !*

– Ça sert à rien de râler, Vito. C'est moi qui vais vous crucifier ! Vous allez moisir en prison pendant des années. J'espère seulement que cette fois-ci, la GRC va finir par trouver des avocats et un juge qui ont des couilles.

J'expliquai brièvement ce qu'il adviendrait du dossier complet si la famille ne me fichait pas la paix.

– J'ai un avocat, à Mascouche, qui a mis l'ensemble du dossier dans mon coffre à la banque. Ça fait cinq DVD. Lui et moi, on va se parler deux fois par semaine à heure fixe. Si jamais il n'a pas de mes nouvelles au moment prévu, il va aller porter le dossier à l'escouade qui cherche depuis des années à vous coincer, toute la gang. Ce cadeau-là va leur faire un plaisir immense, et ils vont avoir assez de matériel pour vous mettre en cabane pendant un méchant bout de temps. *Capisce*, Vito ?

– Tu vas pas t'en sortir comme ça. On va vous retrouver tous les deux, même s'il faut aller en Afrique, et on va vous étriper !

– C'est ce qu'on verra. *Dice buon giorno a Big Joey per me ! Capisce, Vito ?*

Je coupai la communication.

14

Dès notre arrivée au nouvel aéroport international de Bangkok, je sus que Rosalie allait se débrouiller admirablement bien pour replonger jusqu'aux oreilles dans la culture thaïe, en m'y entraînant gaiement. Puisque j'en étais à ma toute première visite en Asie, je la laissai prendre les devants sur toute la ligne. Elle se révéla être un guide exquis, et m'initia rapidement aux coutumes locales, tout en me faisant remarquer à plus d'une reprise que Bangkok, avec ses douze millions d'habitants, son économie axée sur les services, ses bidonvilles et l'individualisme de ses habitants, ne pouvait prétendre résumer le pays.

– Il va falloir qu'on aille à Chiang Mai, dans le Nord. C'est moins touristique que le Sud, et plus authentique. En plus, le Mékong n'est pas loin.

– Tu sais bien, Rosalie, que j'irais même dans l'Antarctique avec toi si tu me le demandais. Il faudra seulement qu'on finisse par savoir ce qu'on veut faire, et où on veut aller. Mais je suppose que ça peut attendre un peu...

Nous passâmes des heures à musarder dans les rues et les boutiques de Silom, le quartier des affaires où les tours de verre bordant les longues avenues ne parvenaient pas à cacher le vieux quartier de Patpong, aux ruelles de triste réputation. Ici, les vendeurs à la sauvette s'étaient carrément appropriés les trottoirs, où ils offraient aux touristes un incroyable bric-à-brac fait de montres à petit prix, de CD piratés, de tee-shirts couverts de messages à connotation sexuelle, de cravates en fausse soie et d'une foule de gadgets aussi inutiles les uns que les autres. Tout cela dans un brouhaha issu du bourdonnement de la foule des piétons, du rugissement des moteurs de bus, et du grondement des scooters et des tuk-tuks qui se faufilaient au milieu des embouteillages.

Désireux de nous extraire de toute cette pollution qui nous enveloppait, nous allâmes nous promener en bateau sur le Chao Phraya, le « fleuve des rois », et sur les *khlongs* de Thonburi, où je découvris quelques tranches de la réalité de tous ces gens qui vivaient dans des conditions plutôt précaires mais sans jamais oublier de sourire et de s'amuser. Au cours de ces balades, Rosalie m'expliqua que les Thaïlandais accordaient une grande importance à l'étiquette et au paraître. Elle m'expliqua les diverses façons de saluer en joignant les mains et en inclinant la tête, et m'enseigna quelques règles d'usage qui m'aideraient à ne pas choquer ou gêner mes interlocuteurs, à la différence de tous ces *farangs* (étrangers) qui se comportaient comme s'ils étaient chez eux.

Ce soir-là, au crépuscule, elle m'emmena au Parc Lumphini, où on organisait de violents combats de boxe thaïe au cours desquels les adversaires étaient autorisés à utiliser toutes les parties du corps, excepté la tête, comme armes offensives. Pour des adeptes des arts martiaux comme nous, ces combats présentaient un intérêt très particulier. Puis elle me guida jusqu'aux meilleurs temples de la cuisine locale, où j'eus vite fait de comprendre que le petit plat que je lui avait concocté à Placencia, en utilisant les ingrédients dénichés chez Wallen's, n'était vraiment pas à la hauteur.

Un soir, au terme d'une visite de deux jours à Kanchanaburi et au marché flottant de Damnoen Saduak, elle me fit découvrir le *Bamboo Bar*, la boîte de jazz à l'atmosphère feutrée du Mandarin Oriental. J'y ressentis beaucoup d'émotions, et compris, en écoutant quelques vieux succès de John Coltrane, de Miles Davis et de Pat Metheny, que ma contrebasse me manquait terriblement. Le trio qui se produisait ce soir-là offrait une prestation professionnelle, certes, mais une voie intérieure m'assura que j'aurais pu faire mieux que le contrebassiste du groupe, un grand gaillard à l'allure soignée mais dont la technique manquait de finesse. J'avais bien malgré moi des fourmis dans les doigts, et il était évident que j'allais saisir toutes les occasions qui se présenteraient de me remettre au boulot.

Nous étions à Bangkok depuis plusieurs jours et avions réussi, en dépit de tous les kilomètres parcourus à pied, à bien nous reposer, d'autant plus que nous nous soumettions régulièrement aux massages traditionnels qui nous étaient proposés. Souvent, je m'arrêtais dans un café Internet, en espérant qu'un message de Paulo m'attendrait sur la messagerie. Mais personne ne semblait avoir pensé à nous depuis notre départ de Bruxelles. Je ne m'en trouvais pas frustré, puisque j'avais maintenant réussi, tout comme Rosalie, à relaxer et à ne me soucier que du lendemain.

Il m'arriva parfois, lorsque nous nous étions attablés dans un bar ou un restaurant, de me demander pourquoi un type muni d'un portable et d'un journal nous épiait. Au début, cela m'énerva, mais je finis par me convaincre que ma belle Rosalie ne pouvait faire autrement que d'attirer l'attention, et que c'était elle qu'on reluquait. Un soir, alors que nous dînions dans un restaurant du quartier chinois décoré de lanternes en papier, je décidai que le gros type du fond lorgnait Rosalie de façon vraiment exagérée, et j'allai le lui dire, sur un ton sans réplique. Le bonhomme prit la poudre d'escampette quelques secondes plus tard, comme s'il savait exactement à qui il avait à faire. Ce comportement, qui aurait normalement provoqué chez moi un éclat de rire, me rendit paradoxalement encore plus perplexe.

La Thaïlande était attrayante pour plusieurs raisons. Nos rapports avec les gens étaient d'une grande simplicité, et souvent conviviaux. La tolérance se manifestait partout. La cuisine était variée et délicieuse. Dans les parcs, on pouvait admirer une flore intéressante, qui donnait envie de quitter Bangkok pour voyager par monts et par vaux. Mais je voyais bien que la société thaïe était profondément attachée à ses conventions, fondées sur un grand sens de la hiérarchie : Bouddha et Sa Majesté trônaient partout. Je voyais aussi que la culture de la tolérance avait ses mauvais côtés, comme en témoignaient toutes ces histoires qu'on lisait à propos du tourisme sexuel, et des jeunes prostituées venues du Nord. Puis il y avait la barrière de la langue, et l'impression que nous avions de devoir toujours être considérés comme des *farangs*. Ce qui n'empêchait pas Rosalie de se comporter comme une inconditionnelle de la culture thaïe.

Je croyais comprendre ce qu'elle ressentait. La Thaïlande avait ce qu'il fallait pour attirer tous ceux qui voyaient leur nature profonde, à dominante orientale, se libérer sous des cieux exotiques, qui n'avaient d'autre choix que de se réfugier loin de leur pays natal à la suite d'une sale affaire, ou qui en avaient tout simplement assez de baigner depuis des décennies dans la civilisation occidentale chrétienne, les préjugés petits-bourgeois et la gadoue.

Un soir, je proposai à Rosalie de changer de décor et réservai chez Angelini, élu meilleur restaurant italien de Bangkok par les plus fins connaisseurs. Cette sortie me permit d'étrenner un magnifique blazer en cachemire que venait de me confectionner le tailleur du Dusit Thani, et de me retrouver devant une reine de beauté resplendissante dans sa petite robe noire. D'entrée de jeu, je déclarai à Rosalie qu'en plus d'être toujours follement amoureux d'elle, je considérais que le temps était venu de discuter avec objectivité des avantages et des désavantages de destinations possibles. Elle acquiesça.

– Trouve-moi un pays asiatique francophone, et je suis prête à y vivre demain matin ! déclara-t-elle, mutine.

– Sois sérieuse, Rosalie. Tu sais bien que l'anglais est la seule langue dans laquelle on puisse communiquer avec les Asiatiques. Pour le moment, en tout cas. Je ne dis pas que ce serait inintéressant d'apprendre le thaï, ou une autre langue nationale, mais je pense que ce serait bien si on pouvait s'établir dans un pays où la plupart des gens d'affaires se débrouillent en anglais. Il se pourrait même que l'appartenance d'un pays au Commonwealth nous simplifie la vie sur le plan consulaire.

– Sais-tu quels pays en font partie, en Asie ?

– Je ne connais pas la liste de tous les membres du club, mais je sais qu'il y a l'Inde. Puis la Malaisie. Il doit y avoir Singapour, aussi…

– Je ne pense pas que ces pays-là nous conviendraient, en tout cas pour y vivre. La Malaisie se modernise rapidement, et la langue nationale est plutôt facile à apprendre, selon ce qu'on m'a déjà expliqué, mais la population est beaucoup trop musulmane à mon goût. En Inde, le coût de la vie est faible, mais la pauvreté est omniprésente dans les villes, et les rapports entre les gens sont compliqués par des histoires de castes. En plus, il faut bien dire que je ne suis pas amatrice de cari, et ils en mettent dans tous leurs plats. Je ne connais pas Singapour, mais dans le *Lonely Planet* que Paulo nous a apporté, on dit que c'est drôlement bureaucratique, avec des règlements poussés à l'extrême dans un tas de domaines et des caméras cachées partout. On est loin de la tolérance bouddhiste !

– Bon. Si on va plus loin, il y a la Nouvelle-Zélande. Il paraît que c'est très beau…

– Je ne suis jamais allée en Nouvelle-Zélande, mais j'ai des amis qui m'en ont parlé, et puis j'ai vu *Le Seigneur des Anneaux*, qui a été tourné là-bas. Les paysages sont effectivement superbes. Mais il paraît que les moutons y sont vingt fois plus nombreux que les humains, et qu'on y mange de l'agneau à toutes les sauces. Je n'aime pas l'agneau. Il y a aussi la culture maorie, qu'on dit un peu trop envahissante.

– Et l'Australie, qu'est-ce que t'en sais ?

– Pas grand-chose. Mais dans un documentaire que j'ai vu l'été dernier, on disait que les Australiens sont accueillants et bons vivants, et qu'ils ont une qualité de vie semblable à ce qu'on connaît au Canada, à un coût comparable. Selon ce que j'ai pu voir, les paysages sont très variés là-bas, comme chez nous, mais avec des milliers de kilomètres de plage, et la Grande Barrière de corail. Ça doit être superbe, si on ne s'éloigne pas trop de la côte.

– Sais-tu qu'avec tout ce que tu viens de me dire, t'aurais pu enseigner la géographie dans un cégep ?

– Franchement, j'aurais préféré gérer une agence de voyages.

Notre discussion se poursuivit jusqu'aux environs de minuit. Le lendemain matin, grâce à Google, je pus identifier les exigences de quelques pays en matière de permis de séjour ou de permis d'opérer une petite entreprise. Deux pays se démarquaient : la Thaïlande et l'Australie. Notre choix devait être stratégique, et pour cela, il fallait tenir compte de questions liées à notre visibilité et aux risques que nous étions disposés à prendre concernant notre sécurité, à l'ouverture sur le plan culturel, au mode de vie qu'il serait possible d'adopter et aux possibilités qui s'offriraient à nous, immigrants, d'exploiter une petite entreprise dans des conditions normales.

Un élément revenait constamment dans nos discussions : nous étions tous les deux de forte taille et de type caucasien. Or, il fallait, au moins au cours des deux ou trois premières années, que chacun de nous se fonde dans le décor. Il importait d'évoluer dans un milieu où vivaient d'innombrables personnes de type caucasien, si bien que deux immigrants de plus n'éveilleraient la curiosité de personne. Surtout s'ils adoptaient éventuellement de nouvelles identités. Car le risque était réel, même si j'avais tendance à le minimiser.

Il fallait que nous nous protégions au maximum. Nous étions devenus des partenaires et des amants, et avions besoin maintenant l'un de l'autre, pour faire face à tous les défis qui ne manqueraient pas de survenir dans notre quête d'une nouvelle vie. Chacun de nous disposait de ressources financières non négligeables, mais cela ne suffisait pas. Bien entendu, nous avions la possibilité de nous offrir de longues vacances et de nous perdre dans des centaines de petites îles inondées de soleil et où l'air est pur. Mais un jour, il faudrait que nous nous fixions dans un lieu où il serait possible de vivre normalement, dans un vrai village ou une vraie ville, un endroit où personne n'aurait la moindre raison de nous envier ou de nous regarder de travers. Un lieu d'où nous n'aurions aucune raison de nous enfuir parce que nous aurions cessé de penser au jour où, peut-être, on nous enverrait des experts chargés de nous faire la peau.

Finalement, puisqu'il importait de planifier la suite correctement, nous décidâmes de comparer les politiques des deux pays en matière de permis d'exploitation d'une petite entreprise par des expatriés. Rosalie se rendrait à l'Ambassade du Canada pour s'y informer de la législation locale, tandis que je me présenterais à l'Ambassade d'Australie.

Le soir même, j'eus la surprise d'entendre Rosalie m'annoncer qu'elle était toute disposée à mettre le cap sur l'Australie.

– J'avais pas vraiment envie de me retrouver en compagnie de fonctionnaires canadiens plus ou moins capables de m'informer. Alors j'ai communiqué avec l'Ambassade des États-Unis, et on m'a orienté vers une brasserie de Sukhumvit tenue par un Américain. J'y suis allée et j'ai posé mes questions. Le type, très sympathique, m'a offert à boire et il m'a tout expliqué. Ensuite, l'Ambassade de France m'a refilé le nom d'un restaurant tenu par une Française dans le voisinage de Silom Village. J'y ai posé les mêmes questions, et la patronne y a répondu gentiment.

– Et puis ?

– Les deux m'ont dit à peu près la même chose. Ce serait très compliqué d'obtenir un permis de séjour de longue durée ici, et surtout, un permis d'opérer. Mais le comble, c'est qu'une nouvelle législation vise à décourager les expatriés qui voudraient créer une petite entreprise, en particulier dans la restauration. On veut éviter qu'un étranger détienne plus de quarante-neuf pour cent des droits de vote dans sa propre entreprise, même si elle lui appartient à quatre-vingt-quinze pour cent. On cherche à imposer des partenaires de contrôle qui soient thaïlandais. Et une fois que l'entreprise est créée, il y a plein d'inspecteurs qui viennent rôder pour s'assurer que tout est conforme.

– Ça doit être comme ailleurs. Les inspecteurs se pointent en espérant toucher quelque chose, et pas nécessairement pour jouer les méchants.

– Il y a aussi la Mafia, Réal.

– Là, j'aime moins. Je suppose qu'elle offre de protéger les restaurateurs et tenanciers de bar qui ont l'air prospères ?

– Entre autres choses. En tout cas, le portrait d'ensemble me paraît assez différent de ce que j'imaginais. C'est décourageant.

J'avais trouvé, quant à moi, que les réglementations australiennes, quoique complexes, étaient moins restrictives que celles de la Thaïlande, et ne semblaient poser aucun problème insurmontable dans le cas de deux Canadiens désireux d'exploiter à Sydney ou ailleurs un restaurant spécialisé dans un domaine aussi innovateur que la cuisine italo-thaïe. Nous décidâmes d'un commun accord d'aller reconnaître le pays. Il serait toujours possible de revenir en Thaïlande, au besoin.

Nous avions réussi à transporter tout notre cash jusqu'à Bangkok, sans qu'aucun douanier ne nous interroge ou entreprenne de fouiller nos bagages. Nous avions été excessivement chanceux, mais notre chance pouvait tourner. Il allait falloir que nous nous mettions à gérer ce cash en le recyclant, sans trop attendre, mais avec une prudence extrême.

Ne disposant d'aucun compte bancaire australien où il eut été possible de virer électroniquement des fonds ou de déposer des traites, nous n'étions pas encore en mesure de blanchir une partie appréciable de nos avoirs. Je procédai tout de même à quelques opérations de change qui me permirent de transformer discrètement quelques milliers de dollars américains en dollars australiens. Rosalie en fit autant. Plus tard, elle loua un coffre à la HSBC en réglant un an d'avance, et y planqua trois cent mille dollars. Si jamais un malheur survenait et qu'on nous dépouillait du reste, ou qu'il fallait déguerpir, nous pourrions compter sur ce cash pour survivre. En me remettant l'une des deux clefs du coffre, Rosalie me dit :

– Ce sera utile quand on ira visiter Chiang Mai, plus tard.

Nous étions à Bangkok depuis près de deux semaines lorsque je trouvai enfin un message de Paulo m'informant qu'un jeu de DVD, auquel il avait fixé une puce, était maintenant en place dans mon coffre à la Banque Royale du Canada. « J'ai fait comme tu m'as conseillé. J'ai rasé ma moustache et coupé mes cheveux, et c'est bien vrai qu'on se ressemble comme des jumeaux. Ma blonde adore ça, en plus. J'ai failli pas y aller, parce que je tremblais trop et que j'avais des palpitations épouvantables. Mais finalement, j'ai tiré un gros joint et ça s'est bien passé. J'ai eu seulement à signer. C'était pareil comme toi. » Il ajoutait qu'il avait auparavant vidé le coffre des documents et du cash qu'il contenait, et placé le tout en sécurité dans son propre coffre, qui était spacieux. Je tapai : « T'es un frère, Paulo. Merci pour tout ! J'espère que t'as pris ton argent. Je te dirai la semaine prochaine à quelle adresse il faudra que tu m'expédies mon permis de conduire et ma carte soleil. Je vais en avoir besoin, en plus du passeport, pour ouvrir un compte de banque et louer un coffre. »

Dans l'espoir de brouiller davantage les pistes laissées depuis le Belize, nous nous envolâmes à destination de Hat Yai, un supermarché géant contrôlé par des éléments de la diaspora chinoise et situé aux portes de la Malaisie. Puisqu'il n'était pas question que nous nous attardions dans la ville, polluée et poussiéreuse, je réservai deux places de première à bord du train desservant la côte ouest, depuis la frontière thaïlandaise jusqu'à Singapour. Big Joey et ses gars auraient passablement de mal à établir que Rosalie et moi avions quitté la Thaïlande de cette façon.

Nous fîmes escale à Kuala Lumpur, pour y visiter les fameuses tours Petronas et prendre le pouls de cette agréable métropole que les redevances pétrolières avaient permis de moderniser. Puis nous remontâmes en train et roulâmes jusqu'à Singapour, où je pus louer une petite suite au Raffles, dans le vieux quartier colonial. Je réservai ensuite deux places à bord d'un gros Boeing de la Singapore Airlines qui s'envolait le lendemain soir à destination de Sydney.

Nous descendîmes au Long Bar de l'hôtel pour y déguster le presque mythique *Singapore Sling*, créé sur place au début du siècle dernier, et sacrifier à un rite plutôt étrange dans cette ville d'une propreté impeccable, en jetant les enveloppes de nos cacahuètes sur le sol. Au terme d'un délicieux repas à la cantonaise sur Boat Quay, Rosalie m'entraîna au Harry's Bar, un lieu d'apparence très yuppie bondé de jeunes cadres décravatés et de *golden girls* qui avaient de toute évidence oublié jusqu'à l'existence des indices Nikkei ou Dow Jones, et décidé de s'amuser. Les carafes de bière défilaient à toute vitesse, les vestes tombaient, les nœuds de cravate se desserraient et un joyeux brouhaha couvrait le jazz produit par un jeune quatuor dont j'estimai qu'il se débrouillait plutôt bien – même en l'absence d'un contrebassiste. Plus tard, en rentrant à l'hôtel, je fis remarquer à Rosalie que lors de notre dîner chez Angelini à Bangkok, elle avait porté sur Singapour un jugement beaucoup trop sévère. Elle répondit sans hésiter que j'avais raison, et qu'il faudrait recueillir des informations supplémentaires sur la réglementation locale en matière de permis d'opérer.

Le lendemain après-midi, Rosalie alla planquer trois cent mille dollars dans un coffre qu'elle venait de louer à la HSBC. Soulagés maintenant de plus de la moitié de nos avoirs, nous quittâmes l'hôtel en direction de l'aéroport.

L'Australie nous attendait !

Deuxième partie

15

Rosalie venait d'appeler depuis Sydney pour m'informer qu'elle avait déniché un ameublement « joliment zen » pour la salle à manger du restaurant, et apporterait des sushi et des sashimi de chez O'Hiro's pour le dîner. On était lundi, et c'était jour de relâche pour nous. Je me servis un verre de Shiraz, insérai un vieux CD de Miles Davis dans la chaîne stéréo, et me calai dans mon fauteuil préféré, tout disposé à rêvasser. La vue sur l'océan Pacifique était imprenable depuis la fenêtre de notre vivoir. En réalité, tout était splendide dans le petit coin de pays où nous avions élu domicile, Rosalie et moi.

Nous étions en Australie depuis dix mois maintenant, et notre nouvelle vie offrait pratiquement tout ce qu'il fallait pour nous combler. Au début, cela n'avait pas été facile. Je trouvais que Rosalie était parfois trop exigeante ou s'impatientait pour des riens, mais j'avais appris à mettre de l'eau dans mon vin et à lui faire confiance, comme elle le faisait lorsqu'il fallait que je prenne les devants. L'important, c'était que nous étions bien l'un avec l'autre, et trouvions du plaisir à poursuivre une foule de démarches en nous consultant sans cesse, tellement que j'en étais venu à deviner de mieux en mieux ce qui lui plaisait ou l'horripilait, ce qui la ferait rire ou s'émouvoir. Notre vie amoureuse était intense, aussi, ce qui ne manquait pas de pimenter tout le reste.

Puisque l'Australie est un immense pays, nous avions décidé, d'entrée de jeu, de limiter notre exploration à la frange côtière est, séparée du reste de l'île par une longue cordillère. On y trouve les seules véritables forêts du pays, mais surtout des côtes magnifiques et ensoleillées, où se succèdent promontoires rocheux, plages de sable blanc, et estuaires bordés de mangroves. Au large des côtes, des îles de diverses formes et de toutes tailles avoisinent une multitude de récifs coralliens.

Nous avions d'abord découvert brièvement Sydney. Occupant un site exceptionnel en bord de mer, cette belle ville moderne, dotée de tout ce dont une personne civilisée peut avoir besoin, nous avait immédiatement séduits. Une virée en zone tropicale, du côté de Brisbane puis de Cairns, point de départ de la plupart des excursions vers la Grande Barrière de corail, nous avait ensuite convaincus que Sydney devait être notre port d'attache. Nous avions été déçus de constater que Brisbane était située à vingt-cinq kilomètres de la mer, et que Cairns était entourée de marécages et de mangroves.

Mais il y avait plus. À la différence de celui de la zone tropicale, où des pluies considérables tombent pendant la mousson de décembre à mars, le climat tempéré de Sydney reste supportable à l'année. Le ciel y est presque toujours bleu. Des kilomètres de plages superbes s'étendent au nord comme au sud de la ville, et la baignade peut y être agréable presque à l'année. On trouve vraiment de tout dans ses restaurants et ses boutiques, et les manifestations sportives et culturelles de haut niveau y sont fréquentes. Il nous était apparu en définitive que, bien que son ambiance ne soit pas dépourvue de faux-semblants, Sydney était la mieux située, la plus sophistiquée et la plus cosmopolite des villes australiennes. Et puisqu'elle abritait une importante population de passage, c'était celle où il était le plus facile de passer inaperçu – un avantage non négligeable dans notre cas.

Nous avions loué, dans Woolloomooloo, un appartement meublé situé dans une tour à proximité de tous les services dont nous aurions besoin au cours de notre phase de familiarisation et d'implantation en territoire australien. De notre balcon, situé au seizième étage, nous avions une vue sur le centre-ville et le port, et je n'avais pas tardé à découvrir que nous étions à cinq minutes d'au moins trois boîtes de jazz. De quoi réveiller les fourmis qui, depuis Bangkok, avaient déserté mes mains et mes pieds. Je rêvais plus que jamais de retrouver ma contrebasse.

À ma demande, Paulo m'avait expédié par courrier rapide mes pièces d'identité ainsi que les documents qu'il avait retirés du coffre à la Banque Royale. Rosalie avait loué à la Commonwealth Bank un nouveau coffre dans lequel nous avions planqué encore plus d'argent que ce que nous avions laissé à Bangkok ou à Singapour. Puis elle y avait ouvert un compte, et entrepris d'y déposer régulièrement quelques centaines de dollars australiens qu'elle se faisait remettre dans divers bureaux de change contre des dollars américains. Une fois en possession de mes pièces d'identité, j'avais procédé de la même façon. Nous avions aussi loué une boîte postale, et préparé des demandes de permis de conduire.

Puisqu'il fallait constituer à la banque un capital qui nous permettrait de payer le plus normalement possible nos fournisseurs, et de procéder éventuellement à une transaction immobilière aussi bien qu'à des achats d'équipements de toutes sortes, nous avions réfléchi aux mérites respectifs d'une douzaine de méthodes de blanchiment d'argent facilement identifiées via Google.

Compte tenu de notre situation, il était peu recommandable de rechercher des complices qui auraient su, en échange de cash, nous consentir de faux prêts, altérer à la baisse la valeur officielle d'un bien immobilier auquel nous aurions été intéressés et que nous aurions plus tard revendu à sa valeur normale, ou encore nous vendre quelques billets de loterie gagnants au prix des sommes remportées. Mais d'autres méthodes nous convenaient, et nous y avions eu recours, prudemment. Nous avions continué à acquérir, comptant, une multitude de services d'une valeur raisonnable et qui ne laissaient aucune trace. Nous étions aussi devenus des habitués du Star City Casino, ce temple du jeu où nous avions intérêt à être connus, et où il nous arrivait parfois d'encaisser sous forme de chèque des jetons que nous nous étions procurés en échange d'argent comptant.

C'est ainsi que, même avant d'avoir pu approvisionner nos comptes à la Commonwealth Bank depuis Bangkok ou Singapour, au moyen de transferts électroniques de fonds d'une valeur inférieure à celle des seuils de déclaration, nous étions parvenus à garnir ces comptes suffisamment pour être en mesure de faire face aux prochaines étapes. Nous allions pouvoir acquérir un petit business affichant normalement un volume élevé de transactions au comptant, d'amalgamer nos avoirs aux recettes de ce business et de gérer son fonds de roulement.

Sans perdre de temps, nous avions aussi entamé les démarches requises en vue d'obtenir des titres de séjour, des visas de travail et l'autorisation d'investir dans une petite affaire de restauration. Les exigences n'étaient pas vraiment aussi mineures que je l'avais cru, à Bangkok. On nous demandait entre autres choses de faire état de l'expérience acquise, soit dans la restauration, soit dans l'industrie du spectacle, et d'autoriser le gouvernement australien à demander des certificats de police à la GRC. En prenant connaissance des règles du jeu, Rosalie et moi avions compris qu'il allait falloir marcher sur des œufs et assumer des risques.

Heureusement, nous n'avions jamais été accusés d'une offense criminelle, et n'avions aucun casier judiciaire. Nous avions néanmoins travaillé tous les deux dans l'ombre de Big Joey Scalpino, un mafioso notoire, et il se pouvait que des dossiers nous concernant aient été montés à la GRC. Il se pouvait aussi que Big Joey, dans l'espoir de nous localiser, ait demandé à un ami – il devait bien en arroser quelques-uns à la GRC – de surveiller toute demande de certificat qui aurait pu être formulée à notre sujet depuis l'étranger. La dernière chose à faire, bien entendu, était de communiquer aux autorités australiennes les coordonnées des propriétaires de La Cucina da Mamma et du Blues Bar. Il fallait remonter au-delà des deux ou trois dernières années.

Dans l'espoir de simplifier et d'accélérer au maximum le processus menant à l'obtention d'un permis d'opérer, nous avions décidé d'utiliser les services d'un bureau de consultants spécialisés en solutions comptables, fiscales et juridiques. Rosalie avait pris les devants, en faisant du charme à tous ceux qu'il fallait rencontrer. Finalement, seize très longs jours plus tard, nous avions l'assurance que nos spécialités italo-thaïes allaient pouvoir être offertes aux gourmets australiens de Sydney ou d'ailleurs.

Entre-temps, nous avions décidé, toujours dans le but de simplifier les choses, que Rosalie exploiterait le restaurant, et que je m'occuperais du bar, après avoir consenti à suivre un cours de « responsabilité face à l'alcool » qu'on m'avait dit être obligatoire dans les circonstances. Rosalie m'engagerait ensuite comme contrebassiste et leader d'un « duo du samedi soir », ce qui ne poserait aucun problème, surtout si nous décidions de nous établir en banlieue ou même à l'extérieur de Sydney, là où peu de jeunes artistes seraient intéressés à se produire. Nous avions aussi décidé que, dans toute la mesure du possible, nous louerions avec option d'achat un restaurant déjà en opération mais battant de l'aile, et exploité jusque-là par des gens d'un certain âge, fatigués et désireux de toucher une rente confortable. Cette stratégie devait nous permettre d'éviter un investissement majeur, et de prendre le temps qu'il faudrait pour blanchir nos fonds. Toute la question était de savoir où se trouvait le restaurant qui nous attendait, et comment nous allions l'identifier.

Nous avions inséré une annonce dans les grands journaux, pour laisser savoir aux restaurateurs de la région que nous étions disposés à prendre la relève, à certaines conditions. Mais rien ne s'était passé. Jusqu'au jour où, alors que nous faisions halte à moins de deux heures de route au sud de Sydney, une conversation avec les propriétaires âgés d'un joli petit restaurant familial nous avait permis de mettre le pied à l'étrier. Grâce en partie aux bons offices du bureau de consultants auquel nous avions déjà eu recours, les négociations avaient ensuite progressé rondement, et nous avions pu louer avec option d'achat. Nous avions obtenu tout ce que nous recherchions, et même bien davantage : le restaurant était admirablement bien situé à Vincentia, dans les environs de Jervis Bay, et recelait un tas de possibilités. Un bungalow nous attendait, aussi, dans un joli hameau surplombant la mer à cinq minutes de Vincentia.

On nous apprit que Jervis Bay était bordée d'une plage dont le sable était le plus blanc du monde, selon le *Guinness*, et que les eaux bleues de la baie étaient devenues légendaires chez les plongeurs pour leurs superbes fonds sous-marins, mais aussi pour les dauphins qui les habitaient. Le tout à proximité des Blue Mountains, avec leurs profonds canyons de grès, leurs forêts exubérantes d'eucalyptus et de fougères arborescentes, leurs fleurs sauvages, leurs colonies de kangourous, leurs perroquets et les meilleures pistes de *bushwalking* de toute l'Australie.

Nous avions vite compris, au départ, que notre lieu d'affaires offrait d'autres avantages, non commerciaux ceux-là. Situé à distance raisonnable de Sydney et à proximité de Wollongong, une petite ville universitaire où on trouve plein de produits et de services intéressants, il allait nous permettre d'être peu visibles, sauf pour les gens du coin, des vacanciers australiens de passage et quelques rares touristes étrangers. La possibilité d'y voir débarquer un gars de Big Joey allait être réelle, mais la probabilité qu'une telle malchance se produise nous paraissait suffisamment faible pour ne pas nous empêcher de dormir.

Rosalie avait créé une carte simple mais offrant la possibilité de fusionner dans un même repas la cuisine italienne et la cuisine thaïe. J'avais pour ma part décidé que le bar allait être très profitable, surtout si j'y préparais des cocktails aux noms délirants, et qu'un peu de jazz en week-end serait de nature à attirer une clientèle plus éduquée, et aussi plus fortunée.

J'avais fais parvenir à mon ami Dexter une procuration lui permettant de liquider ma fourgonnette à son avantage, et il m'avait vite expédié ma contrebasse et les autres effets que j'avais entreposés chez lui à Boston. Je m'étais empressé de refaire mes gammes, au grand plaisir de Rosalie qui s'était mise à siffler dans l'espoir de m'entendre l'accompagner, et après deux semaines de mise en forme disciplinée, j'étais prêt à me produire de nouveau. Pendant que Rosalie mobilisait un cuisinier d'expérience, je dénichais à Wollongong un piano ainsi qu'un pianiste d'avenir, étudiant à temps plein mais disponible le samedi soir et grand amateur de jazz cool.

Nous avions encore une fois mis le bureau de consultants dans le coup, et rapidement on nous avait dotés d'un plan d'affaires en béton et d'un système de comptabilité facile à gérer. Une des particularités de ce système, c'était qu'il allait nous permettre de procéder sans problème au recyclage d'une partie de nos dollars américains en dollars australiens pouvant figurer à notre compte en devises locales, et d'une autre partie pouvant être créditée à notre compte en dollars américains. Nous avions décidé que pour chaque centaine de clients, dix autres, à la fois anonymes et gentils, allaient payer comptant, en dollars américains. Ces recettes supplémentaires seraient déclarées au fisc, mais nous étions disposés à payer le prix.

Dans cette petite communauté où tous se connaissaient, nous étions vite parvenus à être considérés comme des gens sans prétention et de commerce agréable, si bien que nous n'avions eu aucune difficulté à nous intégrer. À ceux qui nous demandaient d'où nous venions, nous répondions simplement que nous étions citoyens du monde, et que les cuisines italienne et thaïe se concoctaient aussi bien en Australie qu'en Europe ou même en Afrique. Puisque la belle et souriante Rosalie accueillait elle-même la clientèle, notre chiffre d'affaires avait grimpé en flèche, et tout fonctionnait à merveille.

Rosalie avait déniché à proximité de l'Université de Wollongong un dojo où il lui serait permis d'obtenir, dans un avenir pas trop lointain, la ceinture noire qui en ferait mon égale en jiu-jitsu. Elle y tenait mordicus. De mon côté, j'étais devenu membre d'un club de tir de bon niveau, situé à cent mètres du dojo. Peu d'étrangers s'arrêtaient à Wollongong, et nous considérions que nos inscriptions à ces clubs ne représentaient aucun risque, à moins qu'un gars de Big Joey ne se mette à éplucher systématiquement la liste des membres de tous les clubs de tir et d'arts martiaux de la planète, pour voir si nous y figurions. Il avait toutefois fallu que je jure à Rosalie que je me rendrais là-bas pour le sport, et le sport seulement, et qu'il était évident dans mon esprit que je n'allais plus jamais flinguer quelqu'un. Lorsque j'étais revenu à la maison un mois plus tard avec un petit trophée témoignant de mes prouesses, elle n'avait pas aimé.

– Tu risques de trop te faire remarquer ! avait-elle lancé.

– Si tu veux que je démissionne, je vais le faire, Rosalie. Mais je pense que le tir est un bon sport pour moi. Ça me détend. Et ce n'est pas ma faute si je suis le meilleur.

– Fais comme tu voudras, mais essaie seulement de ne pas trop te distinguer des autres. Ça pourrait nous jouer des tours.

J'aurais pu caser le trophée quelque part dans notre vivoir, à la maison, ou même au fond d'un placard. Mais, fier de ma performance, et sans doute pour défier un peu Rosalie, j'avais fini par le ranger sur une tablette derrière le bar du restaurant. Il alimentait peu les conversations, mais me rappelait ma jeunesse à Saint-Tite. Mon oncle Maurice aurait été fier de moi s'il avait pu voir de quoi j'étais encore capable, même à l'autre bout du monde.

Nous nous étions demandés s'il ne serait pas avantageux, éventuellement, d'adopter de nouvelles identités, histoire de compliquer le travail de quiconque aurait cherché à nous localiser. Mais nous n'avions pas eu à faire de gros efforts d'imagination, ni à entreprendre des démarches dans ce sens. Nos clients assidus en étaient venus à nous désigner tout naturellement sous les noms de Ray Bogart et Rosa Lee, ce qui comportait plusieurs avantages. Non seulement étions-nous moins repérables, mais je n'avais plus à expliquer laborieusement à nos clients les plus curieux que Réal Beauregard était né au Canada dans le joli village de Saint-Tite – un nom dont la prononciation en anglais faisait invariablement sourire, sinon s'esclaffer de rire les plus joyeux lurons.

Après dix mois en Australie, entrecoupés de brèves escapades à Bangkok et à Singapour, Rosalie et moi menions donc une vie tout aussi active qu'intéressante, et j'avais presque réussi à oublier Big Joey. Il m'arrivait, bien entendu, de téléphoner à ma mère, qui s'imaginait que je m'étais installé aux Seychelles, ou d'échanger des courriels avec Paulo. Mais jamais celui-ci n'avait jugé bon de raviver le souvenir de notre rencontre à Cuba. En tout cas, pas depuis le jour où, deux mois après notre arrivée en Australie, il m'avait fait savoir que la puce placée dans mon coffre à la Banque Royale avait été activée. Cette nouvelle était attendue un jour ou l'autre, et ne m'avait donc pas inquiété outre mesure. J'avais seulement inséré une nouvelle carte SIM dans l'Ericsson et appelé Vito pour annoncer que d'autres copies de mes pièces à conviction étaient disponibles, que ses petits copains et lui n'avaient qu'à bien se tenir si jamais il m'arrivait quelque chose, et que de toute façon, jamais son enculé de fouille-merde substitut n'aurait la moindre idée de l'endroit où je me trouvais.

16

Un dimanche soir, alors que le restaurant venait de fermer et que Rosalie était rentrée seule à la maison, je me retrouvai derrière le bar du restaurant avec Carl Jackman, un client assidu qui m'avait déjà dit exploiter une entreprise d'import-export et habiter avec sa seconde femme dans Paddington, un quartier huppé de Sydney. C'était un homme de taille moyenne, qui avait l'apparence d'un bourgeois honnête à l'allure soignée. Ses yeux étaient d'un bleu acier, il avait le menton volontaire et, en dépit du pneu qu'il trimbalait sous ses élégantes chemisettes de couleur pastel, ses cheveux parfaitement blancs lui conféraient un air de respectabilité. Ses mains étaient petites et parfaitement manucurées, et il m'était arrivé de songer que sa seule activité sportive devait être d'assister de temps à autre à une partie de rugby.

Jackman se présentait toujours seul au restaurant, et invariablement le dimanche soir. Il aimait bien s'installer au bar à l'heure de l'apéro comme à celle du digestif, pour y déguster son whisky préféré, un Chivas Regal 18 ans dont je m'assurais d'avoir toujours une bouteille en inventaire. Nous causions alors de tout et de rien, et il me donnait le plus souvent l'impression d'être un homme introverti et quelque peu désabusé, sauf lorsqu'il était question de ses deux yachts, dont l'un mouillait en permanence du côté de Jervis Bay. Il m'avait confié un soir que son plus grand plaisir était sans aucun doute d'écouler, chaque week-end, à bord de ce yacht, des heures paisibles, loin des tracasseries auxquelles il se trouvait mêlé à Sydney. Je n'avais jamais poussé l'indiscrétion jusqu'à demander pourquoi il venait sans sa femme. Mon sixième sens m'avait signifié, au départ, que ces deux-là ne s'entendaient pas, et je préférais ne pas risquer de l'indisposer en m'immisçant dans sa vie privé sans y avoir été invité.

Je cherchais vaguement à me défaire de mon client pour rentrer chez moi, lorsqu'il m'interrogea au sujet du trophée dont il avait noté la présence derrière le bar. Je lui parlai du club de tir auquel j'appartenais. Il demanda quels genres de types en étaient membres, comme pour laisser entendre qu'il aimerait peut-être s'y inscrire, à certaines conditions.

Au troisième whisky, il me parla de sa femme Pamela, à laquelle il était marié en seconde noce depuis sept ans et dont il disait qu'elle était devenue carrément invivable. Le problème, expliqua-t-il, c'était qu'elle ne cessait de le surveiller, en dépit du fait qu'elle entretenait elle-même plus d'une liaison, et qu'elle compromettait l'expansion de ses affaires en se comportant de façon désinvolte avec ses principaux clients et associés, et même dans les réceptions. Mais ce qu'il affirma détester par-dessus tout, c'était la façon qu'avait sa femme de toujours lui dire comment agir et quelles décisions prendre, comme si elle se prenait pour son patron. Bref, elle cherchait à le mener par le bout du nez et cela l'énervait au point qu'il rêvait de la voir disparaître de sa vie. Il me demanda, à brûle-pourpoint :

– Est-ce qu'il vous est déjà venu à l'idée d'éliminer quelqu'un, Ray ?

– Quelle question ! Est-ce que j'ai l'air d'un assassin ?

– Eh bien, je vous dis ça en toute confidence, mais moi, si j'en étais capable, je me débarrasserais de ma femme, une fois pour toutes.

– Vous voulez dire que vous la tueriez ?

– C'est ce que je voulais dire, oui.

– Vous êtes sérieux ?

– Est-ce que j'ai l'air de rigoler ?

– Mais… vous devez bien entretenir une maîtresse, pour être en mesure de changer d'air quand vous en sentez le besoin ? demandai-je.

– Bien évidemment ! Et ma femme le sait. Mais cela n'a rien à voir avec son comportement. Je pense qu'elle est folle, tout simplement.

– Combien d'enfants avez-vous ?

– Aucun. Je n'aime pas les enfants. Ils vous volent vos meilleures années, avec leurs jeux stupides et toute l'attention qu'il faut leur donner dans vos temps libres, au lieu de pratiquer des loisirs d'adultes. Ensuite, vous les mariez en blanc et ils disparaissent, en prenant un malin plaisir à vous rappeler, à l'occasion, qu'ils tiennent vos gènes responsables de ce qui n'a pas marché dans leur vie. Puis ils se croient tout permis, au point de vous confier leurs propres enfants chaque fois qu'ils n'en peuvent plus et rêvent d'une escapade.

– C'est clair comme de l'eau de roche que vous n'avez vraiment pas les dispositions requises pour être père !

– Je n'ai pas besoin d'enfants. Ceux des autres m'emmerdent bien suffisamment.

– Et votre femme, elle ?

– Au début, elle aurait aimé que je lui fasse une ou deux filles, mais elle ne m'embête plus avec ces histoires. Elle a compris, malgré tout.

– Pourquoi dites-vous « malgré tout » ?

– Parce qu'elle a une cervelle d'oiseau. C'est une timbrée. Je l'ai mariée pour son cul, mais elle me le fait payer depuis, en se comportant comme une demeurée.

Je lui servis machinalement le début d'un quatrième whisky, en espérant que cela le calmerait, mais il continua à déblatérer contre sa femme. Je l'observai en silence, en tentant d'imaginer quel genre de relation il entretenait avec elle. Je voyais deux êtres seuls, cohabitant par convenance, menant des activités parallèles et se parlant peu. J'imaginais une épouse refoulant, comme tant d'autres, un sentiment de gâchis derrière des sourires factices de réceptions mondaines, et se tournant chaque matin vers une bouteille de riesling ou de chardonnay conservée au réfrigérateur pour noyer son dépit.

Par simple curiosité, je cherchai à savoir comment il pouvait bien envisager l'élimination de sa femme. Au départ, il parut mal à l'aise. Mais je compris bientôt qu'il avait déjà eu l'occasion, au cours de ses escapades dominicales, d'imaginer quelques scénarios.

– Le crime parfait existe, bien entendu. Mais vous savez, Ray, je ne suis vraiment pas un spécialiste dans ce domaine. Il m'arrive de lire des polars, mais jamais en y cherchant la recette miracle. N'étant pas versé en mécanique, j'élimine l'accident de voiture. Ma femme ne va jamais à la mer, ce qui exclut la noyade. L'électrocution dans son bain, à l'aide d'un séchoir à cheveux, ça ne pourrait pas marcher non plus parce qu'elle s'enferme toujours à double tour avant de s'immerger. L'asphyxie au moyen d'un oreiller risquerait de laisser des traces, et je me retrouverais tout en haut de la liste des suspects. Le problème, voyez-vous, c'est que j'ai du mal à imaginer autre chose qu'une mort violente, et je ne suis pas du genre à manier une arme.

Je ne pus m'empêcher de voir toute l'incongruité de cette conversation qui se poursuivait entre un barman à l'allure débonnaire et un client certes éméché mais qui projetait l'image d'un homme respectable, en mal de confidences. Heureusement que Rosalie était rentrée à la maison, sinon elle aurait flanqué Carl Jackman à la porte avant de m'inonder d'une pluie d'injures, ou peut-être même de me rosser.

– Et le divorce ? Vous ne croyez pas que ce serait la solution la plus simple, dans les circonstances ?

– J'y ai pensé, répondit-il. Mais vous devez savoir que, quand j'ai épousé ma femme, j'ai commis l'impardonnable erreur de lui céder près de la moitié de mes intérêts dans la société d'import-export. Me retrouver avec une telle actionnaire sur les bras serait pour moi un désastre.

– Pourquoi ne pas lui racheter ses actions ?

– Cela représenterait beaucoup d'argent. Trop d'argent. Et il est probable que, de toute façon, elle refuserait de vendre.

– Votre femme travaille, en plus d'être actionnaire ?

– Elle s'occupe de contrôler la qualité des produits d'artisanat que nous importons d'Asie du Sud-Est.

Un long silence s'installa entre nous, et je me mis à espérer que la conversation s'arrêterait là et que mon client rentrerait prudemment à la maison en remettant à plus tard ses sombres desseins. Mais le bonhomme continuait visiblement à cogiter. Finalement, il se tourna vers moi, et je pus lire dans ses yeux les tourments d'une âme désespérée.

– Ray, vous ne connaîtriez pas, par hasard, un membre de votre club de tir qui pourrait être disposé à envoyer ma femme *ad patres*, en échange d'une somme rondelette ?

La question était directe mais, assez bizarrement, je ne m'en trouvai pas démonté. Je répondis simplement que je ne frayais pas avec ce genre d'individu. Jackman parut déçu. Il vida son verre d'un trait, et décida qu'il était temps pour lui de rentrer à Sydney. Avant de partir, il me laissa un numéro de téléphone où je pourrais le joindre, si jamais il m'arrivait de fraterniser avec un tireur d'élite d'allure accommodante.

– Quoiqu'il arrive, je me fie sur vous pour ne rien dire à qui que ce soit au sujet de notre petite conversation. Vous promettez, Ray ?

– Ne vous en faites donc pas. Je n'ai rien entendu.

Je trouvai Rosalie devant la télé. Elle me demanda pourquoi j'avais tant tardé à mettre à la porte ce Jackman, qui ne lui disait rien de bon, et j'expliquai que c'était un homme d'affaires prospère, qui s'ennuyait le dimanche soir au terme d'une journée de pêche sur la côte, sans sa femme, et avait manifestement besoin de parler à quelqu'un avant de rentrer se coucher. Rosalie me demanda si la dame était handicapée physique ou mentale. Je répondis qu'elle devait vraisemblablement être plus heureuse dans son cercle d'amies à Sydney, que le mariage des Jackman semblait battre de l'aile et que j'avais eu un peu pitié du malheureux époux, ce qui expliquait que j'avais mis un certain temps à rentrer.

Le bottin téléphonique de Sydney me confirma que Carl Jackman résidait dans Paddington. Le lendemain, j'entamai des recherches sur Google à son sujet. Je découvris que sa société d'import-export était une entreprise plutôt rentable, comptant plus d'une soixantaine d'employés. Poursuivant mon enquête, je découvris qu'il avait déjà été condamné par les tribunaux australiens à une peine de neuf ans de prison pour s'être livré à des actes criminels dans le cadre d'un arrangement conclu entre les chefs de trois familles mafieuses. On précisait que, conjointement avec une figure dirigeante du crime organisé en Australie, il avait fait embarquer au Pakistan et tenté d'importer en Australie plus de quinze tonnes de résine de cannabis, dont cinq tonnes, d'une valeur estimée à soixante-quinze millions de dollars, avaient été saisies par la police fédérale au large des côtes australiennes. Il avait passé six ans en prison. Plus tard, il avait été trouvé coupable d'avoir orchestré une affaire de blanchiment d'argent par le biais de courses de chevaux. Un magazine du samedi avait publié un article dans lequel Jackman était identifié comme un important trafiquant, à la tête d'un réseau de *pushers* qui incitaient souvent des adolescents à commettre toutes sortes d'actes criminels pour trouver l'argent qui leur permettrait d'apaiser le besoin qu'on avait implanté en eux.

Il était donc établi que cet homme, qui continuait vraisemblablement de jouer un rôle clé au sein de l'un des trois syndicats du crime organisé australien, actif notamment dans le trafic de stupéfiants, contribuait de façon importante à miner la vie d'un tas de jeunes et de moins jeunes. C'était, à n'en point douter, un grand bandit, un virus social. La preuve était faite que si un homme honnête pouvait ressembler à une crapule, le contraire était tout aussi vrai.

Au cours des deux jours qui suivirent, je réfléchis. J'avais mis fin depuis longtemps à mes activités de tueur à gages à Montréal. Je menais une nouvelle vie avec Rosalie, et ne tenais pas à compromettre quoique ce soit en m'impliquant dans l'exécution d'un nouveau contrat, surtout s'il s'agissait de refroidir une femme. J'avais depuis longtemps décidé, en outre, que les chicanes entre conjoints ou amants ne me concernaient absolument pas, que les protagonistes soient associés ou non en affaires. Mais que Carl Jackman soit à la recherche d'un type qui accepterait de le débarrasser de sa femme me mettait dans tous mes états. Depuis l'avortement de la mission qui devait m'amener à éliminer Rosalie, je ne pouvais pas supporter l'idée qu'un bandit cherche à s'en prendre à une femme, surtout après m'avoir informé de ses intentions. C'était plus fort que moi : il fallait au moins que je trouve une façon de lui mettre des bâtons dans les roues, à défaut de résoudre le problème de façon plus radicale. D'autant plus que la femme de Jackman n'était plus pour moi une femme parmi d'autres. Je connaissais son prénom : Pamela.

Le jeudi, une idée germa dans mon esprit. Je téléphonai à Jackman pour lui dire qu'il fallait impérativement que nous nous rencontrions le lendemain matin à onze heures, dans le parc de stationnement de la petite église baptiste de Wollongong.

– Je serai déjà là. Je vous attendrai dans ma voiture, une Subaru blanche. Venez prendre place à mes côtés. Nous en aurons pour une quinzaine de minutes.

Il me fit comprendre à mots couverts qu'il savait de quoi je voulais l'entretenir, et que dans les circonstances, il ne raterait pour rien au monde notre petit rendez-vous.

J'avais l'habitude, chaque vendredi, de me rendre seul à Sydney avec pour mission de réapprovisionner le bar et, au besoin, le restaurant. Ce vendredi-là, je partis plus tôt, et allai me procurer dans un établissement spécialisé de Wollongong un magnétophone minuscule mais étonnamment performant, qu'il m'était possible de loger au fond d'une pochette intérieure de mon blouson et d'activer le plus discrètement du monde. Je projetais rien de moins que d'enregistrer, à l'insu de Jackman, la conversation qui se déroulerait dans ma voiture.

Il se pointa à l'heure prévue, et je mis le magnétophone en marche au moment même où il ouvrait la portière pour prendre place à mes côtés. Je m'empressai d'expliquer que les éléments dont nous devions discuter ne se prêtaient absolument pas à des échanges téléphoniques. Il fit signe qu'il comprenait, et qu'il appréciait ma discrétion.

– J'ai eu une longue conversation hier matin avec un membre de mon club de tir, annonçai-je. Appelons-le Bill. C'est un type à l'allure un peu louche et antisociale, mais aussi un excellent tireur. Nous nous sommes installés à l'écart, et je lui ai parlé d'un contrat sur la tête d'une femme, sans préciser qui était le commanditaire. J'y ai mis toute la gomme, et il a fini par avouer qu'il pourrait être intéressé à rendre à mon client le service qu'il recherchait, dans la mesure où celui-ci saurait se montrer généreux et excessivement discret.

– J'ai l'habitude d'être discret. Bill vous a-t-il dit ce qu'il entendait pas « généreux » ?

– Il m'a chargé de vous informer que ses services vaudraient cent mille dollars australiens. Cash.

Un lourd silence s'installa. Puis Jackman, qui n'avait pas cessé de faire craquer ses jointures, se racla la gorge et finit par réagir.

– Mais enfin, qu'est-ce qui peut bien justifier des honoraires aussi élevés ? Vous ne trouvez pas que c'est déraisonnable de demander autant ?

– Bill n'a jamais éliminé une femme, répondis-je aussitôt. Il serait d'accord pour s'engager à faire le boulot, mais parce qu'il s'agit d'une femme, il hésite à plonger et demande à être motivé. Il craint, le moment venu, d'être un peu trop émotif et de perdre ses moyens.

– Je vois. En somme, votre Bill, c'est un sentimental qui craint d'avoir du mal à se concentrer et à agir en professionnel, même pour cinquante mille dollars. Il lui en faudrait le double pour performer correctement. Vous ne trouvez pas ça lamentable ?

– Écoutez, ce sont des choses qui arrivent. J'ai déjà entendu parler d'un tueur à gages qui était tombé amoureux de sa cible et s'était trouvé incapable de respecter son contrat, même s'il savait qu'on le traquerait pendant des années. Je comprends Bill. Cela peut être très dangereux, finalement, d'avoir une femme comme cible. Surtout si elle est jolie. Au fait, comment elle est, votre femme ?

– C'est une blonde dans la trentaine avancée, qui avait tout de la putain avant même de savoir marcher. Par la suite, sa façon de marcher l'a beaucoup aidée.

– Elle vous a vraiment trompé à ce point ?

– Pour être franc avec vous, Ray, cette petite formalité qu'est le mariage n'a jamais rien eu pour l'arrêter de faire joujou avec tout ce qui bouge et qui bande.

– Vous voyez ? Si elle est aussi sexy que vous le dites, ne pensez-vous pas qu'il faut mettre toutes les chances de votre côté ?

– Bon, ça va. Mais j'éprouve des problèmes de liquidités actuellement, et je ne suis pas en mesure d'allonger plus de soixante-quinze mille dollars. C'est tout de même beaucoup plus que ce que j'avais en tête. Vous croyez que Bill serait d'accord ?

– Je vais lui en parler et vous reviendrai très bientôt.

Il fut entendu qu'advenant l'accord de Bill, la moitié de la somme fixée me serait versée en liquide, à un moment et dans un lieu dont nous conviendrions en temps utile. Puis je sollicitai quelques détails supplémentaires concernant l'emploi du temps de la cible. Jackman s'incrimina encore bien davantage, en émettant des jugements dont je savais qu'ils étaient de nature à mettre le feu aux poudres lorsque madame en prendrait connaissance.

Je lui fis ensuite comprendre que je serais disposé à servir d'intermédiaire entre Bill et lui, pour lui rendre service, mais uniquement s'il s'engageait à ne plus jamais se montrer en ma compagnie, et à oublier qu'il me connaissait.

– À compter de maintenant, quoiqu'il arrive, vous devrez oublier jusqu'à mon nom, et surtout ne plus jamais vous présenter au restaurant. Pour aucune considération.

– Si vous êtes disposé à m'aider, je ferai ce que vous voulez. Est-ce que ce Bill finira par savoir qui est son client ?

– Je tairai toujours votre nom, et ne vous dirai jamais le sien. De cette façon, aucun lien ne pourra jamais être établi entre vous et lui, sauf par mon intermédiaire. Même si un jour, par hasard, vous vous rencontrez, vous vous comporterez comme de parfaits étrangers l'un envers l'autre. Quoiqu'il arrive. Vous comprenez ?

– Je comprends, oui.

– Et puis, si cela peut vous aider, je vous dirai que Bill est le genre de gars qui ne parle pas beaucoup, et qui se méfie de tout le monde, même de moi. Je pense qu'il serait capable de compter ses doigts après avoir échangé une poignée de main avec son propre père. Cela dit, est-ce que vous savez naviguer sur Internet ?

– Bien entendu !

– Dans ce cas, créez demain une adresse Hotmail dont nous serons seuls à connaître l'existence, et utilisez-la pour expédier un bref message à l'adresse que je vous indiquerai. Vendredi prochain, à midi, je répondrai à votre message en vous informant des résultats de ma prochaine démarche auprès de Bill. Voici l'adresse Hotmail à laquelle vous me trouverez.

J'inscrivis l'adresse sur la paume de ma main gauche, la lui montrai, m'assurai qu'il l'avait bien enregistrée dans sa mémoire, puis l'effaçai.

– Comme vous voyez, cette adresse est d'une simplicité extrême, alors n'allez surtout pas la noter sur un bout de papier qui se retrouverait dans votre portefeuille !

Le lendemain, un message m'attendait à l'adresse que j'avais indiquée. Il tenait en deux mots : « Bonne chance ». Je vidai le journal de bord. Plus tard, je communiquai sur l'Ericsson avec Pamela Jackman, en m'identifiant sous le nom de Walter Webster. J'affirmai que je devais absolument la rencontrer pour l'entretenir d'un sujet d'une grave importance.

– C'est au sujet de votre mari, annonçai-je.

– Il lui est arrivé quelque chose ?

– Pas du tout. Vous verrez. Je ne puis vous en dire davantage pour le moment.

Elle accepta sans exiger une explication, apparemment satisfaite de devoir me rencontrer dans un lieu public. Je lui donnai rendez-vous au Zoo de Taronga, qu'on atteignait au terme d'une promenade en ferry au départ de *Circular Quay*, à Sydney.

– Je vous attendrai lundi matin à onze heures devant les quartiers réservés aux wombats, précisai-je.

– C'est du côté des émeus, n'est-ce pas ?

– Plutôt quelque part entre les koalas et les wallabies, si ma mémoire m'est fidèle.

– J'y serai. Comment allons-nous faire pour nous reconnaître ?

– Je serai vêtu d'un polo noir et d'un pantalon beige, et je fais un mètre quatre-vingt-dix. Et vous ?

– Disons que je serai la femme en bleu.

– Très bien. À lundi, alors, madame Jackman.

– À lundi, monsieur Webster.

17

Fidèle à mon habitude lorsque je me pointe à un rendez-vous, j'arrivai au jardin zoologique bien à l'avance, et allaï m'asseoir sur un banc situé dans une allée d'où il était facile de voir les wallabies et, plus loin, les wombats. Les visiteurs étaient peu nombreux ce matin-là, et je pouvais scruter d'autant mieux les espaces publics aménagés devant la zone réservée aux wombats que la plupart des curieux, surtout ceux qui étaient accompagnés de leurs jeunes enfants, semblaient avoir une nette préférence pour les koalas de toutes tailles, qu'on avait domiciliés un peu plus loin. Je comprenais mal comment les enfants pouvaient être aussi intéressés à observer des bêtes qui, bien que mignonnes, passaient presque toute la journée à roupiller à proximité d'un tas de branches d'eucalyptus.

Celle que je n'eus aucun mal à identifier comme étant Pamela Jackman fit son apparition à l'heure prévue. En pénétrant dans le périmètre où nous avions convenu de nous rencontrer, elle chercha, discrètement, à me repérer. Elle paraissait être seule. Je profitai de ces quelques secondes pour l'observer attentivement. C'était une belle femme dans la trentaine, d'allure charmante, et plutôt aguichante avec son tee-shirt bleu électrique qui collait à son corps mince et flexible, sa jupe en denim bleu qui tombait sur ses hanches étroites et mettait en valeur le galbe parfait de ses jambes nues, et ses escarpins bleus montés sur des talons de deux étages. Le mince rayon de soleil qui filtrait entre deux eucalyptus allumait des reflets dans sa fine chevelure blonde.

Je me levai pour aller à sa rencontre, et à l'instant où son regard rencontra le mien, je sus qu'elle me témoignerait un intérêt certain, indépendamment de la nature du message que je m'étais engagé à lui livrer. J'eus aussi l'intime conviction que j'avais devant moi une dame résolument volage, qui ne demandait pas mieux que de passer de bons moments avec un homme qui lui plaisait.

– Vous êtes, bien entendu, monsieur Webster, déclara-t-elle, en me gratifiant d'un sourire étincelant appuyé d'un regard enjôleur, dont la profondeur ne devait rien au rimmel ni au mascara.
– En personne, répondis-je en lui rendant son sourire. Et vous êtes donc Pamela Jackman. Toute de bleu vêtue, en effet. Jusqu'à vos yeux qui...
– On ne peut rien vous cacher. Dites donc, est-ce que vous permettez que je vous appelle Walter ?
– Si c'est ce que vous souhaitez, Pamela.

J'avais donné rendez-vous à Pamela au Zoo de Taronga pour une raison très simple : il fallait que nous puissions nous entretenir ailleurs qu'entre quatre murs, mais aussi à l'abri des regards du tout Sydney. À en juger par les œillades que lui jetaient quelques papas, elle ne semblait pas avoir bien saisi mes intentions. J'eus vite fait de l'orienter vers un banc en coin, situé à l'écart et dont la vue était largement voilée par un mimosa de bonne taille. Je pris place à ses côtés, de biais, en m'efforçant déjà de ne pas me laisser distraire par ses jambes fuselées qu'elle avait croisées avec élégance de façon à dénuder une bonne moitié de ses cuisses bronzées. Elle inspira profondément, comme pour bien me faire comprendre que sa poitrine aussi était de nature à plaire aux plus audacieux. Elle était juste un peu trop belle, et ça me dérangeait.

Je songeai qu'avec une nana pareille, ce sacré Carl avait dû faire de sérieuses économies sur ses frais de chauffage. Bien que j'aie toujours aimé contempler une jolie femme, les circonstances ne se prêtaient pas à des distractions de ce genre, et je crus nécessaire de refroidir quelque peu les ardeurs de la dame.

– Pamela, déclarai-je, ma mère ne m'a jamais mis en garde contre des femmes telles que vous, et j'avoue qu'il m'arrive d'avoir l'esprit mal tourné. Mais je dois vous informer d'entrée de jeu que je partage ma vie depuis un bon bout de temps avec une femme qui est divinement belle et intelligente, et à laquelle je suis inconditionnellement fidèle.

– Pourquoi vous croyez-vous obligé de me dire cela, Walter ?

– Pour que vous ne vous fassiez aucune illusion à mon sujet, et que vous sachiez que je suis, à toutes fins utiles, blindé !

– Bon ! À ce que je sache, je ne vous ai pas dragué, non ? Détendez-vous, Walter, je ne vais pas vous sauter dessus.

En disant cela, elle s'était penchée vers moi et avait tapoté délicatement mon genou.

– Ce que je voulais dire, au fond, c'était que je souhaite seulement vous faire part de ce qui m'amène ici, et puis rentrer sagement chez moi.

– Dans ce cas, allons-y ! Qu'avez-vous à me révéler au sujet de mon cher époux ?

Tout en prenant bien soin de ne livrer aucun indice concernant mes origines, mon véritable nom, mon lieu de résidence, ma place d'affaires ou le club de tir de Wollongong, j'expliquai l'objet de notre rencontre. J'affirmai vouloir seulement la prévenir du grave danger qui la guettait du fait que Carl venait de confier un contrat sur sa tête à « Bill », par mon intermédiaire. Je m'étais attendu à ce qu'elle soit soudainement victime d'une hémorragie de larmes, mais il n'en fut rien. Mes révélations semblaient plutôt l'avoir plongée dans une profonde réflexion, et elle demeurait de marbre.

Je lui fis comprendre que si j'avais décidé de lâcher le morceau, c'était parce que je ne voulais pour rien au monde être associé au meurtre d'une femme, même indirectement. Au contraire, je croyais qu'il était de mon devoir de désamorcer le processus que son mari avait mis en branle en se confiant à moi, et de la prévenir de ses intentions afin qu'elle puisse prendre toutes les dispositions voulues pour se protéger, éventuellement, sans, bien entendu, m'impliquer d'aucune façon. Elle m'écouta sans dire un mot. Puis je lui fis écouter la bande que j'avais enregistrée dans ma voiture, et dont je m'étais assuré qu'elle ne contenait pas mon prénom d'emprunt.

À mesure que progressait l'écoute de la preuve, j'observai son regard fixe et sa mâchoire qui se crispait. Je sus qu'elle bouillait intérieurement. À la fin, je demandai si elle voulait réécouter la bande, et elle fit signe que non. J'effaçai tout, en annonçant que je souhaitais ne laisser aucune trace de ma traîtrise à l'endroit de Carl. Elle leva alors la tête et me dévisagea en plissant les paupières, comme pour mieux m'observer.

– Qu'est-ce qui me dit que vous avez vraiment annulé le contrat, Walter ? La bande indique que vous vous seriez entendu avec mon mari.

– Je lui ai laissé entendre en effet que l'affaire était presque dans le sac, mais que je devais obtenir l'accord de Bill au sujet des soixante-quinze mille dollars. En réalité, je vais m'arranger pour que Bill refuse.

– Si j'ai bien compris, Bill est comme vous, il a le cœur tendre…

– Disons simplement qu'il est intéressé, mais pas à n'importe quel prix. Ne vous inquiétez donc pas. Je vais tout faire avorter.

– Quel est votre intérêt dans cette affaire, Walter ? Vous devez bien exiger un pourcentage, non ?

– Normalement, je l'aurais fait, oui. Mais je ne le ferai pas. Je vous l'ai dit, c'est plus fort que moi, je suis incapable de participer de près ou de loin à l'assassinat d'une femme.

Pamela cogita encore pendant un moment, et je finis par lui demander quelles étaient ses intentions, dans les circonstances. Je savais déjà que, ne disposant d'aucune preuve, elle n'était en mesure ni de dénoncer Jackman, ni d'incriminer Walter Webster, et encore moins Bill – un simple fruit de mon imagination. À ma grande surprise, elle me regarda droit dans les yeux et formula calmement le souhait que Bill la débarrassât au plus vite de son mari. Je me rendis compte qu'elle ne plaisantait pas.

– Vous n'allez peut-être pas me croire, dit-elle, mais je suis depuis un mois, très discrètement, à la recherche d'un homme tel que Bill. Je croyais ne jamais le trouver.

– Vous êtes vraiment sérieuse ?

– Est-ce que j'ai l'air de plaisanter, Walter ? Je vous répète que, pendant que mon abruti de mari mijotait son mauvais coup, j'étais moi-même à la recherche de son exécuteur.

– Vous me prenez de court, Pamela. Qu'est-ce que vous suggérez ? Que Bill change de cible ?

– Vous lisez dans mes pensées. Je souhaite, non, je veux que votre Bill me débarrasse de cette ordure. Et le plus tôt sera le mieux !

– Vous savez, ce genre de choses ne se fait pas aussi facilement ni aussi rapidement que vous le croyez.

– Je sais que tout est possible, si le prix est bon.

– Combien seriez-vous disposée à verser pour que Bill y trouve son intérêt ?

– Les cent mille dollars qu'il a demandés. Mais à une condition : que la mort de mon mari ne puisse être considérée que comme un décès de cause naturelle. Vous savez, il y a pas mal de gens qui savent que nous ne nous entendons pas très bien, lui et moi, et je voudrais que tout soupçon me concernant soit parfaitement écarté. Vous croyez que c'est possible ?

– Il faudrait que j'en parle à Bill. Je ne suis pas certain qu'il saurait comment procéder autrement que de façon violente.

– Il existe plusieurs types de violences, Walter. Un accident de voiture est nécessairement violent. Une noyade est toujours violente. Une crise cardiaque aussi. Et il est possible de provoquer toutes ces violences...

– Quel âge a votre mari ?

– Cinquante-huit ans.

– Il n'est plus tout jeune. Est-il cardiaque ? Asthmatique ? Lui arrive-t-il d'avoir des pensées suicidaires ?

– Son cœur n'est peut-être pas très en santé, mais je n'en sais rien, vraiment. Il a consulté un cardiologue le mois dernier, parce qu'il se plaignait de ce qui pouvait ressembler à de l'angine. Une douleur à la hauteur du thorax. Et il est soumis assez régulièrement à pas mal de stress. Mais autrement, il ne semble pas être trop amoché physiquement.

– Il n'est pas rare qu'un homme qui se dit en pleine forme se retrouve à la morgue le lendemain, à cause d'un infarctus.

– Et d'autres s'y retrouvent à cause d'un accident. Parfois, il s'agit seulement que les freins lâchent au mauvais endroit...

À ma demande, elle me parla des habitudes de son mari. Elle fit état de ses allées et venues, décrivit son lieu de travail, identifia ses restaurants préférés, les noms donnés à ses deux yachts, puis sa maîtresse, dont elle disait qu'elle était une prostituée doublée d'une effeuilleuse. À la fin, je laissai entendre que je transmettrais toutes ces informations à Bill, et que je la mettrais au courant dans les meilleurs délais des résultats de ma démarche. J'indiquai l'adresse Hotmail qui lui permettrait de trouver mon message, et demandai qu'elle me réponde à l'adresse d'origine.

– Walter, j'ai une question à vous poser.

– Allez-y.

– Est-ce que Bill existe vraiment ? Je veux dire, est-ce qu'il ne serait pas un pur produit de votre imagination ?

– Qu'est-ce qui pourrait vous faire croire ça ?

– Eh bien, vous avez l'air tellement sûr de vous lorsqu'il s'agit d'annuler un contrat plutôt lucratif pour Bill, ou de discuter de ce qu'il pourrait faire d'autre. Comme si Bill était une marionnette que vous contrôliez à volonté. Avez-vous un tel pouvoir sur lui que...

– Bill existe, Pamela. Je suis un intermédiaire. Il m'écoute avant d'agir. Point à la ligne !

– Et vous n'êtes pas venu me trouver en espérant que j'offrirais davantage que mon mari pour régler définitivement nos problèmes matrimoniaux ?

– Non, répondis-je. Alors, nous faisons comme convenu, oui ou non ?

– Ai-je bien le choix ? Si j'ai compris, je dois faire disparaître Carl pour éliminer le risque qu'il prenne les devants et me fasse tuer, que ce soit par Bill ou par quelqu'un d'autre.

– C'est à peu près ça. Mais vous pourriez peut-être aussi vous organiser pour régler vos problèmes matrimoniaux à l'amiable.

– Je préfère envoyer Carl six pieds sous terre. Ça vous irait toujours, comme solution ?

– Je vais en parler à Bill, et je vous reviens demain. Mais auparavant, je veux vous poser moi aussi une question qui me brûle les lèvres.

– Allez-y. Je promets d'être aussi franche que vous venez de l'être.

– Votre mari a épousé une très belle femme. Mais vous, vous avez épousé un type qui aurait pu être votre père. Pourquoi ?

– Il était riche. Rasant, un peux vieux, mais fort présentable, et surtout riche. Et il l'est toujours. Et puis, j'étais jeune, je m'ennuyais et j'avais follement envie de dilapider du fric. Cette réponse vous satisfait ?

– Je vois. En réalité, je savais déjà. Cela n'est pas très différent de ce qu'on voit au cinéma, ou dans les séries télévisées.

– Écoutez. Je vis dans une grande maison de Paddington pleine de meubles superbes. La plupart de mes vêtements sont griffés. Je mange du caviar et bois de bons vins. J'ai quelques amies intéressantes, qui disposent elles aussi de ressources respectables. Je voyage. Et je trouve à me distraire à ma façon lorsque j'en ai envie. Mais il arrive que j'en aie marre, et c'est le cas depuis un bon bout de temps. Je souhaite me libérer. Ce qui ne signifie pas que je sois disposée à lever le nez sur les ressources dont dispose Carl, bien au contraire…

La belle épouse qui avait eu une enfance défavorisée et qui voulait compenser tout cela en dépensant sans compter, mais aussi s'envoyer en l'air pour vivre des sensations que le mari plus âgé ne pouvait lui procurer. Presque un classique. Surtout si on ajoutait à cela le projet de mettre fin aux jours du mari friqué, pour disposer de ses richesses et repartir, avant qu'il ne soit trop tard, à la recherche de l'homme idéal, qui n'avait pas à être nanti. L'espace d'une seconde, j'eus une pensée pour Pénélope, qui avait elle aussi épousé un homme du milieu. Mais j'eus tôt fait de réaliser que les deux histoires ne pouvaient se ressembler : Pénélope avait été contrainte d'épouser Big Joey à cause des traditions qui couraient dans sa famille, alors que Pamela avait choisi.

Il fut convenu que nous n'allions ni nous retrouver ensemble sur le ferry, ni nous parler au téléphone, ni nous revoir sauf en cas d'absolue nécessité.

– Si jamais il arrivait que nos chemins se croisent quelque part, que ce soit en ville ou ailleurs, regardez dans une autre direction, Pamela. Personne ne doit pouvoir établir un lien entre nous deux. Vous ne m'avez jamais rencontré. C'est clair ?
– Soyez logique, Walter. Si je ne vous ai jamais rencontré, quel mal y aurait-il à vous regarder, comme le ferait toute femme de mon âge en présence d'un homme séduisant ? Est-ce que cela n'aurait pas l'air plus naturel ?
– Merci pour le compliment, mais j'exige que vous regardiez ailleurs si jamais vous me croisez.
– Ne soyez pas inquiet, Walter. J'utiliserai Internet, comme vous le souhaitez. Et pour la suite, nous verrons bien.

Elle fit demi-tour et s'en alla. Alors que j'attendais de me déplacer à mon tour en direction du prochain ferry, je la regardai s'éloigner, fasciné par cette façon provocante qu'elle avait de balancer lentement les hanches. Je me demandai si sa démarche était naturelle, ou s'il s'agissait d'un manège destiné à éveiller subtilement, en moi, les démons de la concupiscence. Au moment où j'allais la perdre de vue, elle se retourna brièvement et m'adressa un sourire plein de sous-entendus.

En balayant du regard l'horizon, je remarquai un type dans la trentaine, de taille moyenne et assez bien baraqué, tout de gris vêtu, qui faisait mine d'observer les wallabies mais semblait avoir l'esprit ailleurs. Je me déplaçai en direction de l'enclos où sommeillaient les koalas, et notai que le bonhomme ne me laissait pas quitter son champ de vision. Un léger frisson parcourut mon échine, un frisson semblable à celui qu'avait provoqué la vue du cousin de Gringalet, à Placencia. Mon sixième sens me chuchota que ce type n'était probablement pas là par hasard, et que je ne m'imaginais peut-être pas des choses.

Tout en faisant mine d'observer les koalas, je me demandai si l'homme s'était fait accompagner d'un autre flâneur, comme cela arrive souvent lorsqu'une filature a été commandée. Et s'il s'agissait vraiment d'un espion, pour qui travaillait-il ? Était-ce un garde du corps de Pamela Jackman, payé pour protéger ses jolis arrières ? Un fouille-merde de Carl Jackman ? Un homme du milieu mobilisé pour me pister à la demande de Big Joey, qui aurait miraculeusement réussi à me localiser ? Un agent d'Interpol qui se préparerait à me coincer pour le meurtre de Pierre, Jean ou Jacques ? Et depuis quand étais-je épié ainsi ?

Lorsque je montai à bord du ferry, l'homme en gris ne se pressa pas d'y monter à son tour. Mais peut-être avait-il simplement communiqué mon signalement à un partenaire qui m'attendrait à destination. Le trajet vers *Circular Quay* me parut beaucoup plus long qu'il ne l'avait été à l'aller, et j'occupai mon esprit à programmer l'itinéraire que j'allais emprunter en retournant chez moi, pour m'assurer que personne ne connaîtrait ma destination finale.

En quittant le ferry, je me dirigeai d'un pas rapide vers l'immense Menzies Hotel. J'en traversai le grand hall, en ressortis par une porte latérale, et sautai aussitôt dans un taxi qui m'amena jusqu'à la station de train-métro de Kings Cross, derrière laquelle j'avais garé ma Subaru. Je songeai qu'avec de la chance, j'aurais déjà semé quiconque me suivrait, à moins que ma voiture n'ait été repérée beaucoup plus tôt, lors de mon arrivée à Sydney. Je démarrai et allai me perdre dans le quartier voisin de Woolloomooloo, dont je connaissais les moindres ruelles. Quinze minutes plus tard, j'atteignais Chippendale et m'engageais sur l'autoroute menant à Jervis Bay.

Rendu à la hauteur de Wollongong, j'avais réussi à me détendre, et j'avais hâte de reprendre le cours d'une vie sans histoires aux côtés de ma belle Rosalie, que je savais avoir négligée de façon impardonnable depuis une semaine ou deux. Mais il allait d'abord falloir que j'en finisse avec Carl Jackman, que je n'avais pas eu l'intelligence de renvoyer chez lui après son premier whisky, le soir où il était en mal de confidences.

Je savais être en mesure d'accomplir sans difficulté ce qui allait être ma toute dernière mission, une mission ayant pour double objectif de débarrasser la planète d'un autre salopard, tout en libérant une jeune femme à la fois belle et remarquablement futée d'un homme qui avait voulu la faire disparaître pour des motifs qui me paraissaient nettement insuffisants. Et puis, avais-je vraiment le choix ? Jackman me connaissait, il connaissait mes origines et le nom que mes clients avaient fini par m'attribuer, il savait où je travaillais, et il me savait membre du club de tir de Wollongong. Mais surtout, il savait que Rosalie partageait ma vie. Même si je parvenais à l'éviter complètement, il finirait peut-être par me faire une sale réputation. Un soir, il aurait bu cinq ou six whiskies, et il raconterait à des amis comment sa femme lui compliquait la vie, et comment le barman de l'Italasia à Jervis Bay l'avait aidé à s'en débarrasser.

Le lendemain, la réponse de Bill fut transmise à Pamela, et en son nom, je demandai qu'une avance au montant de cinquante mille dollars soit déposée dans une enveloppe brune dissimulée derrière le socle d'une statue de la Vierge située dans le transept de la cathédrale St Andrew's, à Sydney. Le contrat serait honoré au cours de la semaine suivant le dépôt.

Trois jours plus tard, Pamela m'informa qu'elle avait réussi, sans courir trop de risques, à réunir la somme demandée, que le dépôt venait d'être fait, et qu'elle allait passer une semaine à Brisbane, chez sa sœur. Elle me rappela toute l'importance qu'elle attachait à la façon dont le travail serait accompli. « Il faut que cela ait l'air d'une mort naturelle, ou d'un accident mortel. Souvenez-vous, c'est la raison pour laquelle je me suis montrée aussi généreuse envers Bill. » Je répondis : « Ne vous en faites pas. Je me ferai un devoir de le lui rappeler. »

18

Au cours des trois jours qui suivirent ma rencontre avec Pamela Jackman, Rosalie passa quelques remarques à l'effet que je paraissais très préoccupé, et que je ne lui adressais pratiquement plus la parole. Je m'en excusai, en expliquant que j'étais tout simplement crevé, pour avoir mal dormi et m'être levé trop tôt depuis quelques jours.

– Pourquoi dors-tu si mal, Réal ? J'ai l'impression que t'as passé une partie de la nuit dernière à faire tes mots croisés.

– Je sais pas. Peut-être à cause de mauvais rêves.

– Raconte ! J'adore décortiquer les cauchemars !

– Je ne me souviens pas de tout, mais je sais que la nuit dernière, j'ai vu arriver un camion chargé de hyènes. Les bêtes en descendaient et se faufilaient jusque dans le resto en cherchant à nous bouffer. Elles ricanaient. C'était pas un cadeau !

– T'as peur à ce point-là qu'on nous retrouve ?

– C'est difficile à dire. Tout ce que je sais, c'est que j'aurais envie de mettre la main sur un AK-47 et de le cacher derrière le bar pour pouvoir faire la peau à toutes ces sales bêtes si jamais elles reviennent.

– Laisse donc faire. Rien qu'à voir ton trophée, elles vont se mettre à courir et ne reviendront plus jamais.

– Tu le vois bien, que mon trophée peut servir à quelque chose ?

– Ouais… Et est-ce que ton rêve revient d'une nuit à l'autre ?

– Non, mais il y a des variantes, plutôt dégueulasses aussi. Avant-hier, j'ai fait un cauchemar interminable. J'étais poursuivi par un géant squelettique, au teint jaunâtre, vêtu de noir des pieds à la tête, et qui brandissait un scalpel. Je courais sur la route, puis dans des chemins de terre, et en pleine forêt, toujours poursuivi par le géant. C'est seulement au moment où j'allais m'écrouler d'épuisement que je me suis réveillé. Je suais à grosses gouttes.

– Pauvre Réal. Tu fais trop d'insécurité. Il va falloir que tu trouves une façon de te raisonner, ou de te bâtir des mécanismes de défense à toute épreuve, parce que tu sais aussi bien que moi que tu pourras jamais aller raconter ta vie à un psy.

– Et si je te les racontais à toi, mes cauchemars, est-ce que ça t'embêterait ?

– Pas du tout. Surtout si je sais que ça te fait du bien. Moi aussi, je vais te les raconter si je m'en souviens, parce que j'en fais assez régulièrement. Mais empêche-toi pas de me raconter aussi tes plus beaux rêves. Je ferai la même chose.

Ce soir-là, tout en visionnant distraitement, en compagnie de Rosalie, un vieux film dont je connaissais bien la trame et qu'il m'était possible de résumer au besoin, si elle me le demandait, je profitai d'une pause publicitaire pour lui faire part de mon intention de troquer la Subaru contre une petite fourgonnette.

– Ça me permettrait de transporter ma contrebasse, au besoin. En plus, je pense que ce serait beaucoup plus pratique au moment de faire les courses à Sydney.

– Je suis bien d'accord, Réal, mais à condition que tu reviennes de Sydney avec des provisions qui en valent la peine. Je vois mal l'utilité d'une fourgonnette si tu te pointes presque à vide, comme lundi. Il nous manque déjà plein d'ingrédients. Je t'avais pourtant préparé une liste, non ?

– C'est vrai que j'ai pas été particulièrement efficace. Je pense que j'avais besoin de me changer les idées. J'ai fouiné un peu partout dans Woolloomooloo et au marché de Pyrmont, et j'ai perdu la notion du temps.

– C'était notre journée de relâche, et tu m'as laissée ici toute seule pour aller te traîner les pieds dans Woolloomooloo ? Allô ?

– Je reconnais que c'était pas gentil de ma part.

– J'irai avec toi lundi prochain. Si tu tournes en rond, je tournerai au moins avec toi, au lieu de rester dans mon coin.

– D'accord. Mais je pense qu'on pourrait trouver à peu près tout ce qu'il nous faut à Wollongong. Qu'est-ce que tu dirais qu'on aille explorer là-bas ? C'est moins loin que Sydney, et en plus, on économiserait sur le carburant.

– Si tu veux. Mais le plus important, au fond, c'est qu'on passe du temps ensemble. Il me semble qu'on se parle beaucoup moins qu'avant. Tu ne crois pas ?

– T'as raison. Je ne t'aime pas aussi bien que je devrais. Tu vas voir, je vais me dépêcher de résoudre mes petites crises d'anxiété, et on va se retrouver comme avant. Mieux encore !

Rosalie poursuivit le visionnement de son film, et je continuai à échafauder un plan, à chercher une façon de procéder qui serait la bonne. Je savais que je n'aurais aucun mal à localiser Carl Jackman, et qu'il représentait une cible d'autant plus facile qu'il me voyait comme un complice. Il ne s'attendait à aucun acte dangereux de ma part – ni de la part d'un inconnu d'ailleurs, puisqu'il ne semblait prendre aucune précaution de sécurité. Il ne se méfierait pas.

Je savais, pour être passé en voiture devant chez lui, dans quelle petite forteresse de style victorien il habitait dans Paddington. Grâce à Pamela, je savais où était situé son bureau dans la City. Lorsqu'il était à Sydney, Jackman menait une vie très réglée, quittant habituellement le domicile conjugal vers huit heures, au volant de sa BMW, pour aller petit-déjeuner chez Kells Kitchen, un établissement réputé pour servir les meilleures saucisses en ville. Puis il se rendait à son bureau pour y prendre les décisions dont la mise en œuvre serait assurée par ses proches collaborateurs. Il déjeunait à l'Orient Hotel, dans York Street, où il s'envoyait deux douzaines d'huîtres chez Chris' Seafood. Ensuite il se rendait, soit au Yacht Club pour y discuter de transactions occultes avec un ou deux associés, soit chez sa maîtresse, une fille qui travaillait le soir comme effeuilleuse dans un bar de Bondi. Le samedi, il mettait le cap sur Jervis Bay et ses environs, habituellement seul, pour y écouler vingt-quatre heures sur son catamaran avant de revenir sagement à la maison. Le dimanche, il s'arrêtait en route pour dîner dans un restaurant spécialisé dans l'une ou l'autre des cuisines asiatiques qu'il affectionnait.

Je savais tout cela, mais je voyais mal comment procéder. Je cherchais un point faible, une vulnérabilité particulière à exploiter chez Carl Jackman, mais ne voyais rien qui put être de quelque intérêt. Il n'était pas question de lui mettre du plomb entre les deux yeux. Son décès devait avoir toutes les apparences d'un accident, ou d'une mort naturelle. Il ne devait y avoir aucun doute dans l'esprit de quiconque serait appelé à qualifier les circonstances de sa mort. S'il devait y avoir autopsie, elle ne devait rien révéler d'inhabituel.

Organiser un accident réaliste n'était pas impossible, mais cela pouvait nécessiter une longue préparation, et comportait quelques risques que je n'avais aucune envie de prendre. Je penchais bien davantage pour la mort d'apparence naturelle, qui n'était pas de nature à soulever le moindre soupçon quant à l'existence d'un sombre vilain qui aurait tout manigancé. Une mort naturelle était propre, et personne ne pourrait ignorer que tout homme rondelet, gourmand et alcoolique dans la cinquantaine avancée est un candidat à l'infarctus, quel que soit son bagage génétique. Et puis, Pamela pourrait toujours témoigner de ses problèmes d'angine ou de ce qui pouvait y ressembler.

C'est sous une longue douche chaude, ce soir-là, que je compris que j'allais devoir l'isoler, et m'isoler avec lui, pour être en mesure d'opérer à mon aise. Ensuite, qu'il soit stupide ou intelligent dans les circonstances n'aurait vraiment aucune importance : j'aurais recours à l'effet de surprise, et il n'aurait même pas le temps de comprendre ce qui lui arrivait. Je pouvais m'arranger très facilement pour qu'il s'évanouisse. Ensuite, il faudrait qu'il cesse de respirer, et que son cœur cesse de battre. Les poumons et le cœur. Tout était là. Puis je me fondrais dans le paysage, sans laisser de trace.

Le lendemain matin, pendant que Rosalie allait faire quelques courses, j'interrogeai Google en espérant trouver des informations utiles sur diverses méthodes de suicide assisté utilisables à l'extérieur d'un hôpital. Moins de quinze minutes plus tard, je lisais de larges extraits du *Final Exit* de Derek Humphry, publié une quinzaine d'années plus tôt, et qui était toujours considéré comme le manuel le plus explicite à l'usage de ceux qui, atteints ou non d'une maladie terminale, étaient bien décidés à en finir. Plusieurs méthodes étaient suggérées, mais l'une d'entre elles me parut toute indiquée dans les circonstances. La recette était simple, et les instructions, claires et faciles à suivre.

De Google, je passai à Hotmail et trouvai deux messages qui venaient de m'être expédiés, à quelques heures d'intervalle, par ma nouvelle cible. Jackman paraissait irrité. Dans le premier courriel, il se disait impatient de me voir accélérer le processus dont nous avions convenu. Dans le second, il répétait que « notre projet » n'avançait pas assez vite à son goût, demandait si j'avais rencontré « B », et quelle était sa réponse. Je répondis que « B » avait besoin de plus d'informations avant de décider comment il allait procéder. Puisqu'il fallait éviter d'être vus ensemble, que ce soit à Sydney ou ailleurs, je lui donnai rendez-vous le mardi en fin de matinée, sur la vaste plage déserte longeant Windang, à quelques kilomètres au sud de Wollongong. L'endroit me semblait idéal, puisqu'un grand parc boisé séparait la petite ville industrielle de la mer, et que j'y étais un parfait inconnu. Il serait possible, une fois sur la plage, d'apercevoir de très loin quiconque aurait décidé de s'y aventurer. L'idée me vint de lui demander d'apporter un acompte, mais j'eus des scrupules et laissai tomber. J'avais bien des défauts, mais je n'étais tout de même pas un voleur !

Le vendredi, je me rendis au Toys « R » Us de Hurstville, où je trouvai ce que je cherchais : une boîte de ballons gonflables de toutes les formes et de toutes les couleurs, un boyau en plastique transparent, et une petite bonbonne d'hélium avec détendeur, capable de gonfler une trentaine de ballons d'un diamètre de vingt-cinq centimètres. Sur la route du retour, je m'arrêtai dans un supermarché où je me procurai des sacs de cuisson en plastique transparent et très résistant, ainsi qu'une boîte d'allumettes en bois et la dernière édition du *Daily Telegraph*. Je disposais maintenant de tous les outils dont j'aurais besoin, et il me restait plus de trois jours pour peaufiner ma stratégie. Mon principal souci demeurait tout de même de m'assurer que Rosalie ne se douterait de rien. Je n'aimais vraiment pas manigancer un mauvais coup dans son dos, mais il m'était impossible de faire autrement : Carl Jackman devait quitter discrètement mais sûrement le monde des mortels.

Le mardi matin, je quittai la maison pour me rendre, comme je le faisais chaque semaine, à mon club de tir, mais je roulai seulement jusqu'à Windang et garai ma voiture dans le grand parc de stationnement du supermarché local. Puis, bien avant l'heure convenue avec Jackman, j'atteignis en marchant d'un pas alerte la vaste plage, vêtu d'un tee-shirt beige et d'un maillot de bain de même couleur, portant aux pieds de simples tongs, et trimbalant un fourre-tout contenant une serviette en ratine, un tee-shirt noir et mon attirail. La plage était parfaitement déserte. Je me déplaçai en direction nord pendant dix bonnes minutes, jusqu'au point de rencontre convenu. Le synchronisme s'avéra parfait puisque je distinguai alors au loin, venant en direction de l'endroit où je venais de m'arrêter pour rafraîchir mes pieds dans la mer, la silhouette du mari de Pamela.

J'entamai bientôt avec lui, en direction sud, une promenade sur la portion humide de la plage, là où la surface était ferme. Il semblait contrarié.

– Est-ce que votre type va finir par le faire, ce boulot, demanda-t-il aussitôt, ou est-ce qu'il va falloir que je cherche ailleurs ?
– Bill est d'accord pour soixante-quinze mille. Il cherche seulement à planifier son coup le mieux possible, et se demande encore par quel bout commencer. Il a horreur de faire face aux imprévus, et cherche tout simplement à mieux baliser son plan d'attaque.
– Qu'est-ce qu'il peut bien vouloir apprendre au sujet de ma femme que je ne vous ai pas déjà dit ?
– Son emploi du temps. Ce qu'elle fait de ses journées. Qui elle fréquente. Où sont ses restaurants ou ses salons de thé préférés. Ce genre de choses. Ce que vous m'avez dit à date ne suffit pas. Il a besoin de détails, d'informations plus pratiques.
– Ma femme aime perdre son temps. Seule, ou avec ses amies.
– Elle travaille peu ?
– À temps partiel seulement. Il me semble vous avoir déjà dit qu'elle s'occupe de vérifier l'état des marchandises que nous importons de Malaisie, de Thaïlande, de Bali et d'ailleurs, avant qu'elles soient revendues aux petits commerçants.
– De quel genre de marchandise s'agit-il ?
– Du mobilier et des pièces d'artisanat, surtout. Avez-vous vraiment besoin de savoir ça ? De toutes façons, ces activités lui prennent rarement plus de deux heures par jour, le matin.

Autrement, elle se tient avec ses amies, ou avec son petit copain du moment.

– Où rencontre-t-elle ses amies ?

– Le plus souvent, elles se retrouvent au Royal, dans Paddington. C'est un pub dont le troisième étage abrite un bar cosy. L'endroit est réputé pour favoriser les rencontres entre divorcés dans la trentaine ou la quarantaine. C'est là, aussi, qu'elles planifient leurs petites virées à Katoomba, dans les Blue Mountains.

– Vous savez ce qu'elles vont faire là-bas ?

– On y trouve des salons de massage très particuliers...

– Vous semblez vraiment tout savoir au sujet des allées et venues de votre femme. Avez-vous une idée de l'identité de celui qu'elle fréquente actuellement ?

– Son amant de fraîche date se nomme Duncan McGowan. Il est courtier chez Macquaries, et il possède une garçonnière dans Darlinghurst. Je crois savoir qu'ils s'y rencontrent deux fois par semaine, en fin de journée.

J'imaginai la dame s'envoyant en l'air avec son courtier en même temps que le faisait son mari avec l'effeuilleuse, et je ne pus m'empêcher de sourire en me représentant les deux scènes juxtaposées.

– Vous pouvez m'indiquer où se trouve cette garçonnière, exactement ?

– C'est au 124, Burton Street. Pourquoi voulez-vous savoir cela, Ray ?

– Bill pourrait les surprendre au lit et...

– Surtout pas ! Vous voulez que je sois le premier suspect, le mari jaloux qui flingue les deux tourtereaux dans un accès de jalousie ?

– Ne vous inquiétez pas, rien ne sera fait qui pourrait vous incriminer. J'essaie seulement de voir quelles options pourraient intéresser Bill.

– Avec tout ce que je vous ai dit, je pense que votre type pourra trouver ce qu'il cherche, si toutefois il est un vrai professionnel. Autrement, je saurai que c'est un parfait imbécile. Dites-vous bien, cependant, que je n'ai pas du tout envie de mandater un amateur.

J'entretenais la conversation avec Jackman, comme pour lui signifier que j'attachais beaucoup d'importance aux informations qu'il me refilait. Mais, chemin faisant, je balayais des yeux les environs et attendais le moment où je pourrais agir sans encourir quelque risque que ce soit. Il m'apparaissait évident que, de son côté, il ne se doutait absolument pas que je me préparais à accélérer sa mise à la retraite.

Lorsque je me rendis compte que nous étions parfaitement hors de vue de quiconque, et pour un bon bout de temps, je m'arrêtai derrière Jackman, qui venait de s'immobiliser pour mieux observer quelque chose qui bougeait au large. Je le frappai avec le tranchant de la main, juste à la jonction du cou et de l'épaule. Ses jambes se dérobèrent aussitôt sous lui, et il s'effondra sur le sable, inconscient. Je m'agenouillai aussitôt à ses côtés, ouvris mon fourre-tout, et m'empressai d'introduire sa tête dans l'un des deux sacs en plastique dont je m'étais muni pour l'occasion. J'insérai le boyau en plastique fixé à la valve de la bonbonne d'hélium dans un trou de faible diamètre que j'avais déjà pratiqué dans le sac, et déclenchai le mécanisme. Le ballon se remplit bientôt de l'hélium qui allait trouver son chemin jusqu'aux poumons de Jackman, et l'asphyxier rapidement en provoquant une désoxygénation presque complète de son système sanguin.

Une minute plus tard, sa respiration s'était faite beaucoup plus lente, et au bout de deux minutes, son cœur cessa de battre. L'effet était presque magique. Personne ne pourrait jamais détecter la véritable cause de son décès. Aucun test toxicologique ne pourrait mener à un constat d'asphyxie par hélium. N'ayant décelé aucune trace d'agression ou d'ingestion suspecte, les autorités seraient bien obligées de conclure à une mort naturelle, sans cause évidente.

Je remballai la bonbonne, le boyau et le sac en plastique dans le fourre-tout, et, ayant constaté une dernière fois que Jackman avait réussi avec succès à s'extraire du monde des vivants, j'effaçai quelques traces dans le sable mouillé, que les vagues léchaient maintenant de plus en plus. Je vérifiai que rien n'était tombé de mon sac, me coiffai d'une casquette beige assortie à mon tee-shirt et à mon maillot de bain, et poursuivis mon chemin en direction de l'extrémité sud de la longue plage. Empruntant un sentier, je pénétrai dans un bosquet où je retirai ma casquette, enfilai le tee-shirt noir, et continuai jusqu'au parc de stationnement où j'avais garé ma voiture.

Je roulai en direction sud sur une quinzaine de kilomètres, jusqu'à Shellharbour, où je dénichai une poubelle de bonne dimension située à proximité d'un parc où venait de se tenir une fête communautaire. J'y balançai les ballons inutilisés, la bonbonne vide et le boyau, sur lesquels j'avais pris soin d'effacer toute empreinte digitale. Je m'engageai ensuite sur l'autoroute menant à Jervis Bay et m'arrêtai à hauteur de Gerringong, aux abords d'un terrain de camping. Là, j'enveloppai les deux sacs en plastique dans le cahier sport du *Daily Telegraph*, auquel je mis le feu avant de le jeter dans un fût faisant office de poubelle. L'arme du crime venait de disparaître à tout jamais.

Je rentrai à la maison. Je m'étais rarement senti aussi seul, empêtré que j'étais dans mes contradictions les plus profondes.

19

Trois problèmes venaient d'être résolus. Un gangster de plus avait été mis à la retraite. Une femme belle et intelligente avait été libérée d'un enquiquineur. Et surtout, je m'étais débarrassé d'un type qui me connaissait, qui savait où je vivais et travaillais, et qui aurait pu continuer à me harceler. Mais je n'en dirais rien à Rosalie. Ce qui s'était passé au cours des derniers jours demeurerait un secret bien gardé, que j'emporterais avec moi jusque dans mon urne.

Le jeudi matin, Carl Jackman fit la une du *Sydney Morning Herald*. Dans un article sur deux colonnes, il était question d'un homme retrouvé mort l'avant-veille sur la grande plage de Windang. Le *Daily Telegraph* couvrait aussi l'affaire, mais dans un bref article au bas de la troisième page. Le *Morning Herald* titrait :

Un homme d'affaires de Sydney décède sur la plage de Windang Park

La police avait été appelée sur les lieux, et tout semblait indiquer que l'homme, alors qu'il se promenait seul sur la plage au cours de l'après-midi, avait été victime d'une embolie ou d'une défaillance cardiaque. Bien que le défunt ait été un importateur au passé trouble, dont on savait qu'il ne s'était pas contenté d'importer des gadgets fabriqués à Hongkong, aucun signe de lutte ou de coup n'avait été relevé et rien ne permettait d'attribuer le décès à un règlement de comptes. Le corps de la victime avait été trouvé en début d'après-midi par un jeune couple d'enseignants à l'Université de Wollongong. Les traces de leurs pas auraient été les seules à être observées dans ce secteur de la plage. Un long paragraphe était consacré à la veuve de Jackman. Celle-ci, qui se trouvait chez sa sœur à mille kilomètres de Sydney au moment du drame, se disait anéantie. Elle n'ignorait pas que son mari avait consulté un cardiologue quelques mois plus tôt, mais n'aurait jamais pu imaginer une fin aussi subite.

L'affaire semblait donc classée, ce qui représentait une quatrième bonne nouvelle, et il me fut permis de croire que plus personne ne se préoccuperait des circonstances ayant mené à la mort du pauvre Carl Jackman. Ses concurrents ne seraient pas plus inquiétés que ses petits copains. Pamela ferait peut-être l'objet de quolibets de la part de ses amies, mais elle s'en tirerait avec honneur et, au vu de ses attributs, elle finirait peut-être par épouser un magnat de la finance ou du pétrole.

Ce jour-là, il avait fallu fermer le restaurant pour cause de panne d'eau prolongée, les canalisations municipales ayant cédé en amont de notre établissement. Nous en avions pour trois ou quatre jours à attendre, avant de rouvrir nos portes à la clientèle. Ce congé forcé arrivait à point, puisque nous avions beaucoup travaillé au cours des derniers mois et avions besoin d'une pause. Nous décidâmes de passer la soirée à la maison, en amoureux, et Rosalie profita de l'occasion pour revêtir sa petite robe noire. Avant de passer à table, je la pris dans mes bras et la bécotai en lui susurrant à l'oreille tous les bons souvenirs que cette robe ravivait en moi. Elle me fixa alors dans les yeux, et déclara, comme si de rien n'était :

– C'est la dernière fois que je la porte. En tout cas, cette année.

- Pourquoi ? T'as pas l'air de quelqu'un qui a pris trop de poids !
- Non, mais ça va pas tarder. Je m'attends à quelque chose comme quarante livres.
- Ça veut dire quoi, ça ?
- Ben, quoi ? J'ai commencé à nous faire un héritier !
- T'es sérieuse ?
- Est-ce que j'ai l'air d'une menteuse ?

Elle me fixait toujours, avec ce sourire à la Mona Lisa qu'elle affichait lorsqu'elle venait de me jouer un bon tour et attendait de voir quelle tête je ferais en découvrant son stratagème. Je me sentis tout drôle, et ressentis le besoin de m'asseoir.

- C'est bien les hommes, ça, lança Rosalie. La femme donne tout ce qu'elle a pour faire un bébé, et c'est l'homme qui se sent fatigué.

Je me levai aussitôt, et allai la serrer dans mes bras, encore plus fort qu'avant. J'avais les larmes aux yeux.

- Jamais je me serais attendu à ça, Rosalie. Il faut vraiment que tu m'aimes beaucoup pour avoir décidé de faire un enfant avec moi. J'espère au moins qu'il est de moi !
- En réalité, j'en suis pas certaine. Ce pourrait être l'aborigène que je reçois en cachette tous les mardis, quand t'es parti à ton club de tir. Est-ce que tu m'aimes quand même ?

J'éclatai de rire en même temps qu'elle, et nous restâmes soudés l'un à l'autre pendant un long moment. Puis je lui dis :

- Cet enfant-là va être le plus beau, le plus intelligent, le plus extraordinaire de toute l'Australie ! Du monde entier ! Il va te ressembler et faire tourner les têtes, et on va lui mettre toutes sortes de bons principes dans la tête. Ça va compenser pour nos folies de jeunesse. Surtout les miennes !

Nous écoulâmes la soirée à discuter de tout ce que l'arrivée d'un enfant allait bouleverser dans notre quotidien. Et je compris à quel point il était temps, plus que jamais, que je change définitivement de vie. J'allais cesser de me mentir à moi-même et aux autres. J'allais donner à notre enfant l'exemple d'un homme droit, d'un père attentif. Je serais pour lui encore bien davantage que tout ce que l'oncle Maurice avait été pour moi. Il ne serait plus jamais question d'éliminer qui que ce soit, tel que je l'avais promis à Rosalie avant de céder à mes vieux démons, comme un idiot. Je devais maintenant à la femme de ma vie et à notre enfant d'être parfaitement droit et transparent.

C'est le lendemain matin, en interrogeant Hotmail, que je trouvai le message de Paulo m'informant de l'arrestation de Big Joey et de ses principaux lieutenants – dont Vito – au terme de l'Opération Etna. Paulo avait ajouté plusieurs liens renvoyant à des articles du journal *La Presse* consacrés à l'événement. On indiquait que Joseph Scalpino, reconnu comme le parrain de la mafia montréalaise, et cinq membres de sa garde rapprochée, avaient plaidé coupables à une soixantaine d'accusations de gangstérisme, de complot pour importation de stupéfiants, d'extorsion, d'organisation de paris illégaux et de possession d'argent issu d'activités criminelles.

On ajoutait que les accusés avaient plaidé coupables en raison de la solidité de la preuve accumulée par les enquêteurs. Des caméras avaient été installées à l'intérieur du café La Casa, à Saint-Léonard, où se réunissaient le parrain et ses acolytes, mais aussi au restaurant La Cucina da Mamma, situé à Laval, où Scalpino avait ses habitudes le midi, et où il brassait des affaires avec plusieurs personnages du monde interlope. De plus, une rafle de grande envergure avait permis de saisir des avoirs totalisant onze millions de dollars, et près de mille kilos de cocaïne. On s'attendait à ce que des peines d'emprisonnement exemplaires soient prononcées, éventuellement.

En moins de trois jours, je venais de recevoir une avalanche de bonnes nouvelles. Tout était rentré dans l'ordre. Rosalie était resplendissante à l'idée d'être mère, je me sentais moi aussi transformé et je commençai à échafauder des projets qui permettraient à l'enfant qui était en route de vivre dans un environnement idéal.

Ce soir-là, à l'heure de l'apéro, je pensai à offrir un dernier *Adios Motherfucker* à Rosalie, mais elle déclina mon offre.

– Désolée, Réal, je suis touchée par tes attentions, mais pour celle-là, il est trop tard. Je dois être raisonnable, si on veut que notre enfant soit le plus parfait du monde…

À la fin du repas, Rosalie alla prendre ses aises au vivoir, avec l'idée d'entreprendre la lecture du dernier Dan Brown. Je me rendis pour ma part dans le coin bureau, pour y rechercher via Google les coordonnées du meilleur distributeur de mobilier pour bébé à Sydney. Un message m'attendait à l'adresse Hotmail que j'avais indiquée à Pamela Jackman. La veuve libérée m'informait qu'elle irait déposer le lendemain matin à l'endroit convenu le solde de ce qu'elle me devait. Elle ajoutait : « Vous avez fait de l'excellent boulot, Ray, et grâce à vous, j'ai pu enfin prendre le contrôle de la société d'import-export que j'avais créée avec feu mon mari, qui faisait tout pour me rabaisser devant nos cadres et me marginaliser lorsqu'il fallait prendre des décisions importantes. Mais, voyez-vous, j'ai un autre ennui : il y a dans mon organisation un comptable qui en sait beaucoup trop sur mes opérations les plus sensibles et risque de me compliquer la vie. À dire vrai, il m'est impossible de lui faire confiance, et j'imagine fort bien de quoi il serait capable si je le flanquais à la porte. Je suis disposée à payer cher pour m'en défaire, définitivement. Je compte sur vous, Ray. Je vous donnerai autant que tout ce que peuvent vous rapporter en un an vos spaghettis, vos martinis et votre contrebasse. Et vous pourrez offrir à votre belle Rosa tout ce qu'elle désire. Dites-moi seulement où vous souhaitez me rencontrer, cette fois-ci. »